# 名探偵コナン

## 赤井秀一セレクション　赤と黒の攻防(クラッシュ)

酒井 匙／著　青山剛昌／原作・イラスト

★小学館ジュニア文庫★

# DETECTIVE CONAN

## SHŪICHI AKAI SELECTION

雑居ビルの二階に入っている毛利探偵事務所は、今日もヒマだった。

毛利小五郎は、真っ昼間からテレビをつけ、お気に入りのアイドル・沖野ヨーコが出演する歌番組を観ながら、だらしなくニヤけている。

「いやぁー、やっぱいいねぇ!! 小鳥がさえずるようなヨーコちゃんの歌声は!!」

カァ!

事務所の外から、カラスの鳴き声が聞こえてきた。

せっかくヨーコちゃんの歌を楽しんでいたのに邪魔をされ、小五郎の額に怒りの青筋が浮かぶ。

「くそっ! カラスどもめ…また3階の手スリに止まってやがるな~~~…」

ガラッと窓を開けて上の階を見上げれば、案の定、窓の手スリにカラスが二羽も止まっている。

「おい、テメェらうるせーぞ!!」

小五郎が大声を出すと、カラスはカァカァと鳴き声をあげながら羽ばたいていった。

「――ったく…。かーらぁすーなぜ鳴くの~♪ ってか?」

羽毛はもちろん、くちばしも瞳も真っ黒なカラスは、まさに全身黒ずくめだ。

「………」

翼を広げて飛び去っていくカラスの姿を、事務所にいた江戸川コナンは何かを考えながら見つめていた。

廊下では、毛利蘭が固定電話で誰かと話していた。

「え？　ウソ…。また瑛祐君で止まってる？」

『そうなのよー。何度も電話したんだけどつながらなくてさー…』

受話器から漏れ聞こえてくる電話の声は、クラスメートの鈴木園子のものだ。何やら、トラブルが起きているらしい。瑛祐というのは、蘭と園子のクラスメートである本堂瑛祐の事だろう。瑛祐は小五郎のファンらしく、何かにつけ蘭やコナン達に絡んでくる。失踪した姉を捜しているらしいが、詳しい事情はいまだ不明だ。

「瑛祐兄ちゃんがどうかしたの？」

コナンが声を掛けると、蘭は「あ、うん…」とコナンに視線を向けた。

「なんか彼に電話がつながらなくって、クラスの連絡網がまた途切れてるのよ…。この冬休み明けの始業式にやる予定の書き初めが、中止になった連絡なんだけど…」

「『また』って…いつから瑛祐兄ちゃんとつながらないの？」

「冬休みに入ってすぐかなぁ…。その時も、連絡網が瑛祐君で止まってるって園子が言ってたから…」

「冬休みに入る前、瑛祐兄ちゃん何か言ってた？」

コナンが続けて聞くと、蘭は何かを思い出そうとするように、視線を上の方にめぐらせた。

「そういえば言ってたなぁ…。手がかりを見つけたって…杯戸中央病院でね！」

（な、に？）

コナンはハッとして、思わず息をのんだ。

杯戸中央病院は今、コナンにとって要注意の場所なのだ。

コナンは現在、自分の身体を「ＡＰＴＸ４８６９」という薬で小さくした「黒ずくめの組織」の行方を追っている。そして、杯戸中央病院には、現在「キール」と呼ばれる黒ずくめの組織のメンバーが入院しているのだ。

キールは「水無怜奈」という名前を使ってアナウンサーとして活動していたが、コナンとＦＢＩに正体をかぎつけられて、バイクで無理な逃亡をはかった。その結果、事故で重傷を負ってしまい、意識不明のまま今も杯戸中央病院に入院し続けている。

コナンは、瑛祐の捜す「姉」と水無怜奈＝キールはおそらく同一人物だろうと推測しているのだった。実際、水無と瑛祐はとてもよく似ている。ちょっと猫っぽい目もとなど、特にそっくりだ。

（でも、何でバレたんだ!?　あそこはＦＢＩが彼女の所在を知られないように慎重に匿っているはず…そうやすやすと見つかるわけが……）

なぜ、瑛祐は水無が病院にいるとわかったのだろう。

考えるのに夢中になるあまり、コナンは蘭に「コナン君…コナン君？」と何度も呼びかけられているのに気づかなかった。

「コナン君!?」

少し大きな声を出され、ようやく「へ？」と顔を上げる。

「ちゃんとあたしの話聞いてる？　手がかりって言っても、瑛祐君が捜してるお姉さんの事じゃないよ！」

「え？　じゃ、じゃあ何の…？」

「瑛祐君のお父さんよ！　お父さんの会社の仲間を見つけたんだってさ！」

蘭の答えを聞いて、コナンはなおさら驚いた。

コナンは以前、瑛祐の父親と面識のあった人物から、瑛祐の父が「カンパニー」に雇われている、と聞いたことがあるのだ。

（お、お父さんの会社の仲間って…カンパニーの一員か⁉）

「瑛祐君、喜んでたよ！　もしかしたら、ずっと音信不通だったお父さんが、会社の人とお姉さんを捜してるかもしれないって…」

そう話す蘭はうれしそうだが、コナンは心中で（ま、まさか…）と焦っていた。

（黒ずくめの奴らとは別に…カンパニーも水無怜奈を捜してるんじゃ…）

「でも、その後からなんだよね…瑛祐君と連絡取れなくなっちゃったの…。ひょっとしたらその会社の人と落ち合って、冬休み中に２人でお姉さんを捜し回っているのかもね！」

「……」

コナンは言葉を失って黙り込んだ。

蘭の話の通りなら、これから非常に危険な事態になるかもしれない――。


翌日。

コナンは、阿笠博士と灰原哀同席のもと、工藤邸にジョディ・スターリングを呼び出した。

ジョディは表向きは蘭達の通う帝丹高校の英語教師をしているが、実は黒ずくめの組織の捜査をするために来日したＦＢＩ捜査官なのだ。

「悪いな、ジョディ先生…わざわざ来てもらって…」

「いいのよ！　病院の側からの電話は危険だし…こっちも話したい事あったから…」

ジョディは軽く両腕を広げて微笑むと、表情をきゅっと引き締めた。

「それで？　何なの？　厄介な事になったって…」

「本堂瑛祐だよ！　彼が水無怜奈の入院してる杯戸中央病院に行ったんだ！」

「ああ…水無怜奈にそっくりな姉を捜してる男の子ね！」

ジョディはかがみ込み、コナンと目線を合わせながら続けた。

「確かにその子なら年末に病院に来たけど…。何も収穫を得られずに帰ったはずよ！」

「本当に？」

「ええ…姉の写真を看護師に見せて聞いてたみたいだけど…その看護師は水無怜奈の事を聞かされてないから…」

「いや、姉じゃない！」

コナンは鋭く言った。

「父親の仲間をその病院内で見たって言ってるんだ！」

「ち、父親の仲間って、まさかカンパニー？」

父親の仲間の話になったとたん、ジョディはうろたえて、声を震わせた。

「ああ…彼らも水無怜奈を捜してる可能性が出て来たんだよ…。その目的はまだわからないけどね…」

「…確かに…それが本当なら厄介ね…カンパニーなら我々ＦＢＩ捜査官の顔を知っているか

もしれないし…彼らは手段を選ばないから、捜す過程で杯戸中央病院で事を荒らげられたら…」

「黒ずくめの奴らに水無怜奈の居場所がバレる！」

コナンが切羽詰まった口調で言うと、ジョディは「うーん…」とあごに手を添えて考え込んだ。

「杯戸中央病院に立ち寄っただけならまだいいけど…すでに病院内に潜伏していたりしたら早く手を打たないと…」

緊迫した二人の会話に、阿笠博士が「あ、あのー…」と口をはさんだ。

「さっきから気になっておるんじゃが…カンパニーって何なんじゃ？　話の流れからすると、とてもただの会社とは…」

「FBIが事務所と呼ばれているように、会社も俗称よ…」

灰原に言われ、阿笠博士は「え？」と聞き返した。

「アメリカ合衆国の国策遂行のために情報収集や対外工作を行う大統領直属の諜報機関…CIAの事よ‼」

「シ、CIAじゃと!?」

阿笠博士がぎょっとして声を震わせる。

「ええ…つまりその瑛祐って子の父親は、アメリカのスパイだったってわけ！」

そう断じると、灰原はコナンの方へと視線を向けた。

「そういう事でしょ？」

「ああ…でもまだその可能性があるってだけで…」

100％とは言い切れない、とコナンは断定を避けようとしたが、「いや、間違いないわ！」と、ジョディは自信満々に言い切った。

コナンが「え？」と視線を向ける。

「感謝してよ！　色々な所に探りを入れてやっとつかんだんだから！　本名はイーサン・本堂！　日系2世のアメリカ人で30年前にCIAに入った諜報員…。その3年後日本で結婚し、そのまま潜伏…何を探っていたかはつかめなかったけど恐らく…」

「黒ずくめの組織の情報だね？」

コナンに言葉を継がれ、ジョディは「ええ…」とうなずいた。

「CIAが水無怜奈の行方を追ってるって話を信じるのなら…まず間違いないわね！」

「でもおかしくない？　瑛祐って子が、自分の姉そっくりに整形した組織の仲間、水無怜奈を捜して色々な病院をうろついてるのなら…止めに入ると思うけど…」

灰原が、冷静に疑問を差しはさむ。

「そうじゃのォ…彼女の行方は組織も追っておるじゃろうから目につけば危険じゃし、自分達の活動にも支障が出かねんし…何より実の息子じゃ！　止めない訳がない!!」

「いや、止まったよ！　本堂瑛祐の水無怜奈捜しは…」

コナンに言われ、阿笠博士は「え？」とキョトンとした表情を浮かべた。

「冬休み前にその杯戸中央病院で父親の仲間を見つけたって言ったっきり、連絡が取れなくなってんだ！」

「じゃ…じゃあその子はCIAに…」

阿笠博士が言うと、コナンは「あぁ…」とうなずいた。

「多分CIAに保護されたんだと思うぜ？　見かねた父親の頼みでな…」

「残念だけどそれはないわ…」

ジョディが腕組みをして、コナンの推理に水を差した。

「その子の父イーサン・本堂は…4年前に亡くなっているから…」

(え⁉)

コナンはもちろん、灰原と阿笠博士も、驚いて目を見開いた。

ジョディは淡々と説明を続ける。

「場所は横浜の使われていない倉庫…目撃者はそこの2階を寝床にしていたホームレス…。1発の銃声で目が覚め、1階を見下ろすと倒れた男のそばに女が1人うずくまっていて、そこへ2人の男がやって来た…。2人とも真っ黒な格好で1人は長身、長髪…もう1人はサングラスをかけたガタイのいい男…」

男達の格好を聞いて、コナンはすぐにピンときた。

(ジン‼　ウォッカ‼)

ジンとウォッカは、どちらも組織の一員であり、工藤新一にAPTX4869を飲ませた張本人でもある。

「うずくまった女はその2人の男に息も絶え絶えに説明した…『男の手首を噛み砕き、銃を奪って顎の下から撃った』と…。『私は何も喋ってはいない…男が持っているＭＤ※1を聞けばわかる』とも…。そして、しばらくして別の男がやって来て、死体に駆け寄りこう呼びかけた…本堂！　本堂！　ってね！」

「じゃ、じゃあその駆け寄った男もＣＩＡの…」

ジョディの説明を聞いて、阿笠博士が言う。おそらく駆け寄った男も、イーサン・本堂と同じくＣＩＡの一員だったのだろう。

「でも、名字だけじゃイーサン・本堂本人とは…」

コナンが冷静に疑問を口にする。

「君が転送してくれた瑛祐君の父親の写真を見せて確認したから確かだと、彼は言ってたわよ！」

「彼？」

コナンが聞き返すと、ジョディは「赤井君よ！」と答えた。

「イーサン・本堂がＣＩＡの諜報員だという確証をつかんだのも実は彼…。どんな手段を使ったかはわからないけど、彼が提示する証拠がガセだった事は一度もないわ…」

※1　ＭＤ…音声録音用の光磁気ディスクのこと。

赤井秀一はジョディと同じくＦＢＩの捜査官だ。性格はクールで素っ気ないが、卓越した頭脳と超人的な身体能力、そして圧倒的な狙撃技術を併せ持つ極めて優秀な男だ。

「でも…組織がそんな証人を生かしたままにしてるなんて…」

かつて組織に所属していた事のある灰原が、緊迫した声で言う。

「もちろん、駆け寄った男は彼らに撃たれて、その倉庫は一夜にして全焼…誰かがいたとしても死んだと思ったんじゃない？　私の時みたいに…。それより驚いたのはうずくまっていた女の方よ！」

ジョディの言葉を聞いて、コナンは「え？」と顔を向けた。

「そのホームレス…青ざめた顔で何度もためらいながらやっと答えてくれたわ…」

そこで一度言葉を切ると、ジョディは声のトーンを少し落として続けた。

「アナウンサーの水無怜奈に…瓜二つだったとね！」

うずくまっていた女とは、つまり、イーサンを撃った女の事だ。

「と、という事は…」

「やっぱり水無怜奈は…」

阿笠博士とコナンが、順番につぶやく。

ジョディは目を伏せて「ええ…」とうなずいた。

「瑛祐君の姉じゃなさそうね…。もしそうなら、娘が実の父を撃ち殺した事になるんだから…」

「考えられるのは娘に成り済ましてイーサン・本堂に近づき、ＣＩＡがどこまでつかんでいるか探ろうとしたけど…。バレて拘束され、尋問されて口を割らされる前に撃ち殺したってトコロかしら…」

灰原が推測する。

どうやら、水無怜奈＝瑛祐の姉説は、これで崩れてしまったようだ。水無怜奈が瑛祐の姉にそっくりなのはやはり整形で、彼女は瑛祐の姉になりすましてイーサン・本堂に近づこうとしたのかもしれない。

「しかし弱ったわね…瑛祐君に父親の事をもっと詳しく聞きたくて呼び出してもらおうとここへ来たのに…彼が音信不通になっているとは…」

ジョディがため息交じりに言うと、コナンが「とにかく、杯戸中央病院に行ってみよ！」

と提案した。

「え？　君も？」

「うん！　CIAの人が潜伏してるかもしれないんなら、顔バレしてないボクの方が役に立つんじゃない？」

コナンをこれ以上巻き込むのは気が引けるが——しかし、彼の言う事にも一理ある。

ジョディはぱちぱちと目をしばたたいた。


結局、コナンも病院に同行する事になり、迎えにきたジェイムズ・ブラックの車にジョディと共に乗り込んだ。ジェイムズ・ブラックもFBI捜査官で、ジョディや赤井のボスでもある。

後部座席に座ったジョディは、病院にいる水無怜奈の見張り担当に電話を掛けた。

「ええ、そう！　そのままその部屋で待機させといてくれる？　あと10分でそっちに着くから…」

電話を切ったジョディは、コナンの方に顔を向けてウインクをした。

「言われた通り、瑛祐君が写真を見せてた看護師を待たせておいたわよ！　ボス！」

「ありがと！」

コナンがお礼を言うと、ハンドルを握るジェイムズが「おいおい」と苦笑いした。

「君のボスは私じゃなかったか？」

「あら運転手さん、何か言った？」

ジョディが冗談めかして、楽しそうに首を傾げる。

ジェイムズは苦笑いで流すと、バックミラー越しにジョディを見た。

「それより気にならんかね？　瑛祐という少年がなぜ消えたか…」

「ええ…だからまず少年と接触した看護師に話を聞いて、その手がかりを…。でもまぁ、CIAに保護されていると思いますよ！　父が亡くなったとはいえ、仲間の息子の顔を知っている諜報員はいると思いますから…」

「いや、本堂瑛祐はお父さんの仲間を病院で見たって…」

言いかけて、コナンははっとした。

(あれ、待てよ…確か、小さい頃の本堂瑛祐を父親がお好み焼き屋に連れてった話を聞いた時…)

以前、イーサンを知る男に話を聞いた時の記憶がよみがえってくる。イーサンは昔、行きつけのお好み焼き屋に自分の息子を連れていった事があったのだ。その店は、イーサンがＣＩＡの仲間をよく連れてきていた店でもあった。

「息子を連れて来た時は2人きりだったなぁ…」

イーサンの知り合いの男は、瑛祐が店に来た時の事をそう証言していたのだ。

(——って事は、瑛祐はＣＩＡの仲間に会っていないのかも…。父親が息子を仲間に会わせるのを避けていたとしたら、何であいつ、病院で仲間を見たなんて…)

イーサンがＣＩＡの仲間に瑛祐を会わせていなかったのなら、瑛祐にＣＩＡの仲間を見分けられるはずがない。どうやって、瑛祐はＣＩＡの仲間を「見た」のだろうか?

(いや違う! 蘭の話だと『見た』じゃなく『見つけた』だった…。そうだ…『手がかりを見つけた』とも言ってたから、見かけたわけじゃないかもしれない…だとしたら何なんだ?『父の会社の仲間の手がかり』って…)

そこまで考えて、コナンはハッとした。

昔、イーサンがＣＩＡの仲間とお好み焼き屋に来た時に話していたという会話の内容を思い出したのだ。

(待てよ待てよ…父親がそのお好み焼き屋でＣＩＡの仲間にもらした『いよいよ潜る』っていう言葉が…『いよいよ黒ずくめの組織に潜入する』っていう意味なら…)

コナンは慌てて携帯電話を取り出し、蘭に電話を掛けた。

「ん？　どうかした？」

隣に座るジョディがいぶかしそうに聞くが、今は答えている余裕がない。

電話に出た蘭に、コナンは病院での瑛祐の様子を詳しく尋ねた。

『うん…確かに瑛祐君、そう言ってたよ！　『お父さんの会社の仲間を見つけた』って…』

「それって、その人を見かけたって事？」

『ううん…お父さんが会社の上司に打ってたメールアドレスと同じ番号を打ってる人が…杯戸中央病院の中にいたっていうのよ！』

「会社の上司のメールアドレス？　その人を見てないのに何でメールアドレスがわかるの？」

『音よ！』

（お、音？）

まさか——。

コナンの頭をよぎったのは、黒ずくめの組織の連中の事だった。

彼らは、ボスのメールアドレスを、携帯電話のボタンに設定されているプッシュ音のメロディで暗記しているのだ。そうすれば、携帯のメモリーにメールアドレスを登録せずに済むから、もしも携帯を落としたり奪われたりした場合でもボスのメールアドレスが外部に流出する事はない。そして、そのメロディとは、「からす　なぜ鳴くの」の出だしで有名な童謡の『七つの子』だった。

携帯電話のプッシュ音は、番号ごとに違う音が振り分けられている。『七つの子』の出だしのメロディになるよう組み合わせてボタンを押せば、それが、黒ずくめの組織のボスのメールアドレスという事になる。

コナンは緊張して携帯電話を握りしめ、聞こえてくる蘭の声に集中した。

『お父さんが仕事で海外に行っちゃった後、たまに電話をくれてたみたいなんだけど…その電話口から聞こえてきたらしいのよ…何かの曲によく似た携帯電話のプッシュ音が…』

(曲⁉)

『あ、そうそう…確か童謡の…〈七つの子〉だったって！』

コナンは息をのみ、凍りついた。

事情を知らない蘭の、屈託のない声が続く。

『大阪でお父さんと一緒に暮らしてた時は聞いた事ない音だったから、瑛祐君がお父さんに何の音って聞いたら…電話しながら上司にメールしてるって言ってたってさ！』

電話を終え、コナンはぎりっと奥歯を噛みしめた。

瑛祐は勘違いをしている。『七つの子』のプッシュ音が示すのは、ＣＩＡではなく、黒ずくめの組織なのだ。

(――って事は、杯戸中央病院にいたのは…潜伏してるかもしれないのは…ＣＩＡじゃなく…奴らの仲間だ!!!)

杯戸中央病院に、黒ずくめの組織の仲間がいるかもしれない。

コナンからその事を聞いたジョディは、病院にいる赤井にさっそく連絡を入れた。赤井は、屋上から双眼鏡で病院の周囲を見張っているところだったが、ジョディの話を聞くと「ホォー…」と興味深げなため息をもらした。

「奴らの仲間が…この病院にねぇ…」

『ええそうよ！　でもまだ潜伏しているとは限らないわ！　病院に立ち寄っただけかも…』

黒ずくめの組織の連中と接触出来るかもしれないと知って焦っているのか、ジョディはいつもより早口だ。それに比べ、赤井は冷静だった。

「その情報源、信用出来るのか？」

赤井に聞かれ、ジョディは隣にいるコナンの方を見ながら答えた。

『江戸川コナン君よ！　この子の知り合いの少年が、その杯戸病院内で組織のボスのメールアドレスを打っている人物をみつけたって言ってるのよ！』

「またあのボウヤか…。ご執心だなジョディ…」

『とにかく、その少年が病院で接触したっていう看護師を部屋で待機させてるから…私とジエイムズがそっちに着くまで、目立つ行動は避けるように捜査官達に伝えてくれる？　私達FBIがその病院に水無怜奈を匿ってる事がバレたら、組織につながる唯一の糸が途切れかねないから…』

「了解…」

ジョディとの通話を終えると、赤井は屋上の扉を開けて病院の屋内へと入った。

(フン…唯一の糸か…。だが、暗い海の底に糸だけを垂らしても…得られる物は何もない…)

ゆっくりと病院の階段を降り、病室へと向かいながら、赤井は不敵に微笑した。

背が高く足も長い赤井は、ただ歩いているだけでも人目を引いた。日本人離れした彫の深い目鼻立ちに、切れ長の目、鋭い眼光、そして目の下には気だるげな隈。頭にかぶったニット帽からは、ゆるい癖のついた前髪が少しだけ零れて、右目をわずかに隠していた。

(奴らを釣るには…その糸に付けねばならん…奴らを懐深く誘い込む餌と…喉の奥まで食い込ませる…鉤を…)

思案しながら、赤井は病室の扉を開けた。

ベッドの上で水無怜奈が眠り、そばには見張りのＦＢＩ捜査官が控えている。水無の意識はまだ戻ってはいないようだった。

一方、コナンはジョディとジェイムズと共に、病院へと向かっていた。

車内でコナンはジョディに、看護師から情報を聞く役目は自分がやりたいと申し出た。

「え？　君が話を聞く？　瑛祐君が病院で会った看護師に？」

事情聴取は当然自分がやるものと思っていたジョディは、驚いて聞き返した。

「うん！　だって先生達がこの日本で捜査してるのって、日本の警察には内緒なんでしょ？　だったら色々聞きにくいんじゃない？」

コナンが言うと、ジェイムズは「確かにそうだな…」と納得した。

「我々が事情聴取するとなると、その看護師にこちらの正体を明かす羽目になるかもしれない…そうなって事の重大さを知れば、その看護師の1人の胸に留めさせるのは酷だ…。水無怜奈を匿ってくれている口の堅い院長達とは違って、ごく普通の看護師だろうからね…」

「そうですね…組織の仲間が病院内に潜伏している可能性がある以上、我々がＦＢＩだという事は伏せるべきかと…」

神妙にうなずくと、ジョディはコナンに視線を向けて聞いた。

「でも、どうやって聞き出すの？　その看護師から瑛祐君の事…」

「瑛祐兄ちゃんがその病院に行ってから連絡が取れなくなって捜してるとか言って、探りを入れてみるよ…」

そう言うと、コナンは運転席のジェイムズに顔を向けた。

「それより、よく引き受けてくれたね、その院長さん…水無怜奈を匿うなんて…」

「ああ…随分昔、彼がロスで暴漢に襲われた時に、偶然私が助けた事があってね…それ以来の友人なんだ…。まあ友人といっても、直接会ったのはその時以来…メールや手紙でやりとりはしていたが…まさか彼が大病院の院長になるとは思わなかったよ…」

ちょうど赤信号で停まったタイミングで、ジェイムズはコナンの方を振り返ってウインクした。

「いい事はやっておけという事さ…」

病院に到着したコナン達は、さっそく瑛祐と接触したという看護師を訪ねた。事情聴取は空いた病室で行い、事前の打ち合わせ通り主にコナンが看護師に質問をする形だ。ジョディ、ジェイムズ、そして赤井の三人は、病室のドアの前に立ってコナン達の様子を見守っている。

瑛祐と接触した看護師は、年配の女性だった。コナンが瑛祐の写真を手渡すと、すぐにピンときたようだ。

「ああ、この丸眼鏡の少年ね…確かに来たわよ、年末に…写真を持って…」

「それって、アナウンサーの水無怜奈さんの写真だった？」

「ええ…この病院にこのアナウンサーが入院していないかって聞かれたけど、してないって答えたわ…。してたら病院内で噂になってると思うから…」

看護師の答えを聞いて、コナンは確信を持った。

（やっぱりアイツが捜しているのはお姉さんじゃなく…水無怜奈の方だったってわけか…）

「でも本当なの？　その子がここへ来た後に行方不明になってるって…」

「あ、行方不明っていうか、連絡が取れなくて…。だから学校の先生や近所の人達とちょっと捜してるだけ…」

コナンはドアの前に立っている赤井達の方を振り返った。この三人は、瑛祐の学校の先生や近所の人達という設定なのだ。

「ホラ、水無怜奈さんって今、ずーっとTVお休みしてるでしょ？　だから何かの病気で入院してるのかもってその兄ちゃん勘ぐっちゃって…水無アナウンサーの大ファンだから！　まあ、この冬休み使ってほとんど家に帰らずに捜し回ってるだけだと思うけど…」

ことさらに子供らしい口調で、用意しておいた口実を口にすると、コナンは続けて聞いた。

「その兄ちゃん、他に何か言ってなかった？」

「ああ…そういえば驚いてたわよ！　あなたの他にも似たような事を聞く人がいたって言ったら…『この病院で水無怜奈によく似た患者を見かけたけど本人か？』ってね！」

（え？）

コナンと、後ろで聞いていたＦＢＩの三人も、驚いて顔色を変えた。コナン達と同じように、適当な理由をつけて水無怜奈について探っている人間が、他にもいたということだ。

「それ、どんな人だった⁉」

コナンが問いつめると、看護師は首を傾げた。

「それが、よく見えなかったのよ…」

「見えなかった？」

コナンは焦って聞いた。

「誰かにぶつかった拍子にコンタクトを落としちゃって…それを探してる最中に声を掛けられたから…」

「じゃあ声は⁉」

「さあ…男の人なのはわかったけど、どんな声だったかな…」

看護師は頼りなさげに視線を巡らせたが、何か思い出したのか「あ、でも…」とつぶやいた。

「年末に入院された患者さんだと思うわよ！　その時期に新しく売店に入れたサンダルをその人が履いているのは、ぼんやり見えたから…」

(な⁉　に⁉)

コナンは焦る気持ちを押し殺し、あくまで子供らしい演技で、看護師に質問を重ねた。

「そのサンダル、いつ入れたの？」

「12月18日からだったけど…」

コナンと看護師のやり取りを聞いていたＦＢＩ達は、視線を交わしてうなずいた。

「やはり組織の仲間がこの病院に潜伏しているのは…」

「間違いなさそうだな…」

ジョディとジェイムズがささやき合う。

赤井は無言のまま、一人不敵な笑みを浮かべていた。


---

これで、黒ずくめの組織の仲間が病院内に存在する事が、ほぼ確実になった。

今後の対応を巡り、ジョディとジェイムズの間では意見が割れていた。

「今すぐ水無怜奈を別の場所に移すべきです!!　組織の仲間がここに潜伏しているとわかっているのに、このままここで匿うのはリスクが大き過ぎるわ!!」

「だが、今、事を急いて動けば、彼女がここにいると組織に教えるようなもの…」

今すぐにでも水無を移動させたいジョディに対して、ジェイムズは慎重派だ。とはいえ、ジェイムズもこのままでよいとは思っていないようで、

「他に入院させられる病院の当てがあれば、まだやりようがあるんだが…」

と、表情を曇らせている。

赤井だけは、いつも通り余裕綽々の表情だ。

「いいんじゃないですか？　このままで…」

悠長な意見を口にする赤井を、ジョディはじとっとした目つきで睨んだ。

「このままってねぇ…」

「わざわざ患者になり…看護師にカマをかけて水無怜奈の所在を聞いている所を見ると、奴らはまだ探りを入れている段階…。確証を得てここに乗り込んで来たわけじゃない…。それにこれはチャンスだ…」

「チャンス？」

ジョディがキョトンとした顔で聞く。

「ああ…1本だった糸を、2本に増やすためのな…」

「確かに、バレる前にその仲間の男を捕まえてしまえばいいとは思うが…」

ジェイムズが難しい顔でつぶやいた。

黒ずくめの組織の仲間の男は、入院患者になりすまして病院に紛れ込んでいるのだ。看護師の話によれば、十二月十八日に売店で販売され始めたサンダルを履いていたようだが──。

「年末、この病院に入院した男性の患者は20人を超えているそうよ…」

ジョディがうんざりしたように言う。二十人以上もの人間を、こちらがFBIだと気づかれずに調査するのは困難だし、実現したとしてもかなりの時間がかかってしまう。

十二月十八日以降の入院患者、というだけでは、該当する人間が多すぎるのだ。

「せめてさっきの看護師が、その男にその事を聞かれた日にちを覚えていてくれたら…」

考え込むジョディに、コナンが声を掛けた。

「12月18日から21日までの4日間だと思うよ！」

「え？」

「帝丹高校の冬休みは12月23日から…瑛祐兄ちゃんはここに来た事を冬休み前に学校で話し

てたらしいから、来たのは21日以前…サンダルが売店に入ったのが12月18日なら、18日から21日までに入院した人だけを調べればいいんじゃない？」

蘭から直接瑛祐の話を聞いたコナンしか知らなかった情報だ。ジョディの表情がぱっと明るくなった。

「そ、そうね！」

「じゃあ、すぐ院長にその日入院した患者のリストを出してもらうとしよう！」

ジェイムズがあわただしく部屋を出ていく。

たった四日の間なら入院患者の数はかなり絞られてくるはずだ。数人程度なら、全員を調査するのも難しくはないだろう。

「あと、気掛かりなのは、瑛祐君の行方だけど…」

ジョディが心配そうな表情を浮かべる。

「まあFBIとしてはこのまま消えていてくれた方が都合がいい…ノックの息子にうろつかれたんじゃ、色々支障が出かねんし…」

赤井の言葉に引っ掛かり、コナンは「ノック…？」とつぶやいた。

「Non Official Cover…通称NOC!!　民間人を装って他国へ潜入し活動している、CIAなどの秘密諜報員の事よ！」

ジョディは一息で説明すると、少し得意げにコナンの顔をのぞき込んだ。

「いろんな事を知ってる君でも、これは初耳かしら？」

「いや、知ってたけど…その言葉…何か引っ掛かって…」

コナンは以前、ノック、という言い回しにまつわるやり取りを組織の連中が交わしているのを聞いた事があるのだ。

「まあ、ノックの息子の身を案じているのなら諦めた方がいい…」

赤井は無表情にコナンに見つめ、冷淡に言い放った。

「奴らのボスのメールアドレスを知っていて、近づいて来る少年を…奴らが野放しにする理由は何も無いからな…」


「あ、ちょっとボウヤ！」

「え？」

トイレに行ったコナンが出てくると、さっき話を聞いた年配の看護師が小走りに駆けてきた。

「やっと見つけた！　捜してたのよ！」

「捜してたって…さっきの男の人の事で、思い出した事とかあるの？」

「いや、思い出したのは丸眼鏡の少年の方！　その子、瑛祐って名前じゃない？」

「う、うん、そうだけど…」

なぜ知っているのかと戸惑いつつコナンがうなずくと、看護師は「やっぱり！」と声を弾ませた。

「あの時手術した男の子だわ！　私、その時そっちの病院にいたから…」

「じゃ、もしかして大阪の病院？　瑛祐兄ちゃん、お母さんが亡くなった後、大阪に引っ越してすぐ事故に遭って手術したらしいから…」

輸血が必要になるほどの大きな手術で、瑛祐は姉から血をもらってなんとか生き延びたそうだ。

コナンはてっきり、その時の事故の手術の事かと思ったのだが、

「いいや…」

と、看護師は首を振った。

「手術したのは東京の病院！　もちろんことは別のね！　お母さんも付き添っていらっしゃったから引っ越す前なんじゃない？」

「え？　じゃあその手術って何の…」

「あの子、白血病だったのよ！」

白血病——思いがけない病名に、コナンははっと息をのんだ。

看護師は気の毒そうに目を伏せて続けた。

「でもあんな大手術した後、事故に遭ってまた手術したなんて…よっぽどついてないわね、あの子…」

コナンは以前、上半身裸姿の瑛祐を見た事がある。あの時、瑛祐の胸の中央には、何かを繰り返し刺したような丸い傷跡があった。二度の手術を受けた事と、何か関係があるのだろうか？

院長のもとを訪ねたジェイムズは、三枚の写真を手にして戻ってきた。

「朗報だ！　18日から21日に入院した患者で、重傷や重病ではなく、なおかつ男性なのは…この3人に絞れたよ…」

そう言って、コナンと赤井、そしてジョディに写真を見せる。

「急いで隠し撮りした写真だから写りの悪さは勘弁してくれよ…1人目は18日に右足骨折で入院した…新木張太郎さん…」

写真に写った新木は、頭の禿げた目つきの悪い老人だった。骨折のため、松葉杖をついている。

「2人目は19日に頸椎捻挫で入院した…楠田陸道さん…」

楠田は、あごひげを生やし髪を長く伸ばした細身の若い男で、首にギプスをつけていた。

「そして3人目が21日に急性腰痛で入院した…西矢忠吾さん…3人共個室を希望していて…見舞いに来た人物はまだ1人もいないそうだ…」

西矢の写真は、食堂らしき場所で新聞を読んでいる姿だ。おにぎりのような三角形の頭をした、大柄な男だった。

「…となると、どうやら水無怜奈がここにいる事も、それを我々ＦＢＩが匿っている事もバレてはいないようだ…」

赤井が、ジェイムズから三枚の写真を受け取って順番に見比べながらつぶやく。

「そうね…。もしバレていたとしたら、捜査官の人数や配置を把握するために…仲間の見舞い客を装って数人ここに潜入しているはずだから…」

「とにかく、水無怜奈の病室を警護している捜査官にこの事を伝えてくれ！　その３人の顔を頭に刻み込んでおけとな！」

ジェイムズに指示を出され、ジョディは「はい！」とうなずいて、水無の病室へと向かった。

水無怜奈の病室は、ＦＢＩ捜査官が常に交代で見張っている。コンコンとノックをしてか

ら、ジョディはそっと扉を開け、部屋の中にいる男性捜査官に声を掛けた。

「どう？　彼女…」

「意識はまだ…3日後にまた脳波の検査をするそうですが…」

「見て欲しい物があるんだけど…」

そう言って、ジョディはジェイムズから預かった三枚の写真を仲間に見せた。

「写真ですか？」

男性捜査官が、不思議そうに写真を見る。ジョディが手短に事情を説明すると、男性捜査官は目を丸くした。

「え？　組織の仲間がこの病院内に？」

その瞬間――。

目を閉じて眠っていたはずの水無が、ぱちっと目を開けた。男性捜査官らの会話を聞き、組織の仲間が病院内にいる事を知って驚いたらしく、大きく目を見開いている。……水無は、目を覚ましていたのだ。

ジョディは、水無が起きている事にはまったく気づかず、男性捜査官と会話を続けている。

「ええ、容疑者はその3人！　この中の誰かが近づいて来ても、うまくやり過ごして間違っても入れないでよ！　この眠り姫の寝室にはね…」

水無は聞こえてくる会話の内容を探るように、ゆっくりと入り口の方へ視線を向けた。

ジェイムズは念のため、杯戸中央病院の院長を水無怜奈の病室へと呼んでいた。意識が戻っていないかを、確認してもらうためだ。

ジェイムズと院長が病室へとやってきた時、水無は再び目を閉じて眠っていた。

院長は水無の足の指を強く押したりしたのち、「ウーーム…」となった。

「こうやって足の爪を強く押すなどして…疼痛刺激を与えると…意識がある状態なら覚醒したり、顔をしかめたりするはずだが…」

先ほどから院長はさまざまな刺激を与えているのだが、水無は眠ったままなんの反応も示さない。

「どうやら彼女が昏睡状態であるのは確かなようだよ…」

院長がそう結論づけると、ジェイムズは「そうか…」とうなずいた。

「まあ、3日後に予定している脳波検査を今すぐ行えば、確実にわかると思うが…」

「いや、十分だよ院長…。わざわざすまなかった…どうしてもその事を確認したくてね…」

ジェイムズがお礼を言うと、院長は「フッ…」と短く笑ってドアノブに手をかけた。

「本当ならその訳をじっくり聞きたいところだが…昔、私を救ってくれた友人が悪い事をするわけがないと信じて…聞かないでおくよ…」

そう言い残すと、病室を出ていく。

どうやら院長はジェイムズとの旧縁に免じて、事情を聞かないまま水無の診察をしてくれたようだ。

「院長には知らせてないんですね…詳しい事の次第を…」

院長の足音が遠ざかるのを待って、ジョディが言った。

「ああ…伝えているのは我々がＦＢＩで、彼女がある事件の重要参考人だという事ぐらいだよ…」

ジェイムズは眠り続ける水無に視線を向けた。

「まさか言えんだろう…。水無怜奈ほどの有名アナウンサーが、実は我々が追っている危険な組織の一員で…その組織の仲間が彼女を捜しにこの病院に患者として潜入しているとは…今後の彼の身の安全のためにもな…」

ジェイムズが言うのを聞いて、赤井は小さく肩をすくめた。

「しかし不幸中の幸いですね…彼女が眠ったままというのは…。たとえ奴らがこの病室を嗅ぎつけたとしても…意識のない人間を外部に連れ去るのは、かなりのリスクを負う事になる…」

「いや、見つかるのは１００％避けねばならんよ…協力してくれている院長達のためにも…」

ジェイムズが厳しい口調で念を押した。任務優先の赤井と違い、ジェイムズは病院に迷惑をかけるのは極力避けたいと思っているようだ。

ジョディも、ジェイムズに同意して「ええ…」とうなずく。

「たとえその理由を知らなかったとしても、匿うのに協力した人間は組織に狙われる羽目になると思いますから…」

ともかくこれで、FBIは、水無がまだ昏睡状態にある事を確信したようだ。彼女が実は目を覚ましている事に、ジェイムズもジョディもまだ気づいていない。

ジェイムズは、例の三枚の写真を取り出して、改めて眺めた。

「問題はここに患者として潜伏している組織の仲間を…例の容疑者からどうやって割り出すかだが…」

「ええ…」

ジョディが写真を見ながら、三人の容疑者を順番に確認していく。

「確か12月18日に右足骨折で入院した…新木張太郎さんと…12月19日に頸椎捻挫で入院した…楠田陸道さんと…12月21日に急性腰痛で入院した…西矢忠吾さんの3人でしたね…」

赤井は「フン…」と鼻を鳴らした。

「本来なら、3人まとめて違う病院に移してたっぷりと尋問するところだが…」

「ここは日本、しかも日本警察に断りもなく捜査をしている我々がそんな真似はできんよ…3人の内の2人はただの患者だしな…」

ジェイムズが釘をさすように赤井の方を見て言う。

「かといって、ここでFBI捜査官がヘタに容疑者に近づけば…組織ならすぐにFBIだと感づいて、彼女がこの病院にいる事がバレる危険性が…」

そう言って考え込むジョディに、コナンが「じゃあさー…」と明るく声を掛けた。

「ボクが思いついた、いい方法でやってみる？」

「え？　いい方法？」

ジョディが驚いて聞き返す。

「それはみんながこの病室を出てから…別の部屋で話すよ…」

コナンは病室の扉を開け、廊下の様子をうかがいながら続けた。

「2人の外国人と目つきの悪い男の人が1つの部屋からいっぺんに出て来る所を見られたら、目立って噂になっちゃうよ！　今なら廊下にほとんど人いないから…」

「そ、そうね！　場所を変えましょ！」

コナンの言う通り、赤井もジェイムズもジョディも、日本では目立ちすぎる。廊下に人のいない今がチャンスだろう。

ぞろぞろと部屋から出ていく間際、一番後ろにいたコナンは、水無の見張り役の男性捜査官にも声を掛けた。

「あ、見張りのおじさんも来て！」

「え？　僕も？」

男性が、意外そうに自分を指さす。

「見張りのおじさんにも聞いてて欲しいんだ！　すぐ済むからさ！」

いかにも子供らしい口調で言いながら、コナンはちらりと水無の方を振り返った。水無は、相変わらず目を閉じたままだ。

コナンは男性の身体をぐいぐいと押して病室を後にした。

「ホラ、早く早く！」

病室に水無以外の人間がいなくなり、パタンとドアが閉まる。

次の瞬間、

「あ――っと！　ボク、今の部屋に忘れ物しちゃった！　ちょっと取って来るね！」

コナンは突然くるりと身を翻し、水無の病室へと駆け込んだ。

ガチャッと勢いよくドアを開ける。廊下に立った赤井がさりげなく視線を送って、水無の様子をうかがった。

水無は相変わらず、ベッドの上で目を閉じたままだ。

「あった？　忘れ物…」

ジョディに聞かれ、コナンは「あ、いや…」と首を振った。本当は忘れ物などしていない。水無が本当に目を覚ましていないか確認するためにフェイントをかけただけなのだ。もしも水無の意識が戻っていたら、部屋に誰もいなくなった隙にこっそり動いているかもしれない。

しかし実際には、突然ドアを開けても、水無は目を閉じたままだった。

「なんか、勘違いだったみたい！　ゴメンね！」

ごまかすと、コナンは見張りの男性捜査官に声を掛けた。

「あ、やっぱりさ、見張りのおじさんは部屋に残ってくれる？」

「え？」

「あのアナウンサーのお姉さんが急に目を覚ましたら大変だから…」

コナンの指示で、男性捜査官が部屋へと戻っていく。

フェイントをかけても水無は眠ったままだったというのに、赤井は意味深な視線をいつまでも病室の方へと向けていた。

まるで、水無が起きている事を確信したかのように――。


自分が直接、三人の容疑者に話を聞いた方がいい。

コナンがFBIにそう告げると、ジョディは驚いて声を裏返した。

「ええっ!?　君が直接あの3人の容疑者に話を聞く？　1人で!?」

三人の容疑者の中の一人は、黒ずくめの組織の仲間である可能性が高いのだ。看護師に話を聞く程度ならまだしも、組織に直接接触する可能性があるとなれば、とても小学生に任せられる事ではない。

しかしコナンは、「うん！」と平然とうなずいた。

「1人じゃないと、すぐバレちゃうから…相手が子供なら、その悪い人達の仲間も油断すると思うしさ！」

「確かに、君がこんな頭の切れる少年だとは組織も思ってはいないだろうが…組織の仲間が誰なのか特定するのを、君1人の判断に委ねるのは…」

ジェイムズは、コナンの言う事にも一理あると思っているようだが、一方でやはり危険も感じているようだ。

コナンはいかにも子供らしく、無邪気に明るく言った。

「ボクだけじゃないよ！　FBIのみんなにも考えてもらうんだ！」

「ボクにこっそりつけるビデオカメラの映像と音を、後でチェックしてもらってね！　本当はおじさん達の指示を受けながら色々聞いた方がいいと思うけど…」

「医療機器に支障を与える電波を飛ばしたくないというわけか…」

ジェイムズが、あごに手を当てて考え込む。

赤井はズボンのポケットに手を突っ込んだまま、コナンの方を横目で見た。

「ボウヤ…覚悟はできているんだろうな？」

「え？」

「この行動でお前の顔は、否が応でも奴らに知られる事になる…我々FBIに手を貸した狗だとな…。そうなれば降り掛かる火の粉は…お前だけじゃ留まらんと思うが…」

コナンの身の回りの人間にまで危害がおよぶかもしれない……と、赤井はコナンに警告しているのだった。

しかし、コナンは、

「さっきの院長さんと一緒だよ…」

とつぶやいて、発破を掛けるように、ＦＢＩの面々を見渡した。

「信じてるからさ！　ＦＢＩの人達を!!　その悪い人を必ず捕まえて…絶対逃がさないってね!!」

コナンの一言で、ＦＢＩの人々の顔つきが変わった。これまでももちろん全力で任務に取り組んでいたが、コナンの信頼を裏切らないようこれまで以上に身を引き締めなければ……とさらに気合いが入ったようだ。

ジョディとコナンはＦＢＩの仲間と共に、一人目の容疑者の病室の近くにやってきた。病室に入るのは、もちろんコナン一人だ。

ジョディは廊下の曲がり角に身を隠し、病室の様子をうかがいながら、隣にいるコナンに確認した。

「い〜い？　一応ビデオのカメラとマイクは、君の上着の右側の襟元に隠したけど…もしもバレそうになったら…」

「大声を出せば、先生達が助けに来てくれるんだよね？」

先生とは、ジョディの事だ。

ジョディはもともと、帝丹高校の英語教師として身を偽ってコナンの前に現れた。その時の名残で、コナンはジョディの事をいまだに先生と呼ぶのだ。

「ええ…じゃあまずは…西矢忠吾さんから…」

ジョディがコナンを送り出そうとした、その時──。

「あれ？　お前、毛利んトコのボウズじゃねーか？」

能天気に声を掛けてきた男がいた。

「何やってんだ？　こんな所で…」

気安く声をかけてくる男の顔を見て、コナンはぎょっとした。

(ゲ、サッカー部の中道!?)

中道は蘭や新一の同級生で、コナンとも顔見知りだ。これから容疑者に話を聞きにいこうという時に、知り合いに出くわしてしまったのはかなりまずい。

「ん？　その人達知り合いか？」

中道が、コナンの背後にいたジョディ達FBIに目を向ける。FBI達は慌てて視線をそらし、他人の振りをした。

「ち、違うよ、友達のお見舞いに来たんだけど道に迷っちゃって聞いてただけ！　兄ちゃんこそ頭どーしたの？」

コナンは話をそらし、中道の頭に巻かれた包帯について聞いた。

「部活の練習中に頭打って気絶しちゃってよ！　オレ的には平気だって言ったんだけど、一応精密検査するから数日入院しろって医者が…」

「カッコつけてオーバーヘッドなんかするからだよ！」

コナンが思わずあきれると、中道は不思議そうな顔になった。

「おい…何で知ってんだ？　んな事…」

「あ、いや、新一兄ちゃんがよくそう言ってたから…」

愛想笑いを浮かべてごまかしつつ、コナンは内心で突っ込みを入れた。

（オメーが頭打つっつったら、それっきゃねーだろ？）

コナンが工藤新一として高校生活を送っていた頃、中道とはサッカー部で一緒だった。だから、彼がお調子者ですぐにオーバーヘッドキックなど派手な技を練習したがる事は、よく知っているのだ。

「そ、それより、瑛祐兄ちゃん見掛けなかった？　この病院に来たみたいなんだけど…それから連絡が取れなくて困ってるって、蘭姉ちゃんが言ってたよ！」

中道は記憶を探るように視線を巡らせながら、「さあ…」と首を傾げた。

「本堂なんか見てねぇなあ…。オレが入院したの４日前だし…同じサッカー部の会沢栄介なら入院してすぐに見舞いに来たけどよ…」

「ふーん…」

なんとか中道を追い払ったコナンは、三人の容疑者達の病室を順番に訪ねた。もちろん、こっそり回したビデオカメラで、容疑者達の様子を記録しながら。

赤井達はコナンが戻ってくるのを、駐車場に停めたワンボックスカーの中で待っていた。
病院の中では人目につくので、車の中に備えつけられたテレビを使ってビデオカメラの映像を再生するのだ。

無事に戻ってきたコナンの姿を見たジェイムズは、「ふぅ――…」と安心したようにため息をついた。

「なんとか無事に３人撮り終えたようだな…」

「お疲れ様、コナン君！」

ジョディにねぎらわれ、コナンが「うん！」と元気よくうなずく。

「では、さっそく拝見するとしよう…。最初は急性腰痛で入院した西矢さんだったな…」

ジェイムズはそう言って、撮影データをビデオにセットした。

西矢の病室の映像が映し出される。ベッドの上に腰かけて雑誌を読んでいた西矢は、コナンが入ってきたのに気づいて顔を上げた。

『ん？　何だボウズ、ひとの部屋に勝手に…』

『あ、ごめん、部屋間違っちゃって…』

コナンが答えるなり、突然、映像が大きく揺れた。

『うわっ!!』とコナンの叫び声と、ドテッという間の抜けた音。

ビデオカメラの映像が、病室の床を映し出す。

「こ、転んだの？」

映像を見たジョディは驚いたようだが、コナンは「まあ見ててよ！」と余裕の表情だ。どうやらコナンは、わざと転んだらしい。

『お、おいボウズ!?』

『イテテ…ちょっとボクの携帯拾ってくれる？』

コナンに言われ、西矢は仕方なさそうにベッドから降りた。

『──ったく…』

背筋を伸ばしたまましゃがみ込んで、携帯電話を拾い上げる。

『よっと…ホレ！　ちょっとベタついちまったけど勘弁しろよ！　脂性なんでな…』

『ありがと！』

お礼を言いつつもコナンは携帯電話を受け取ろうとはせず、西矢に携帯電話を握らせたまま『あ、そうだ』と言葉を続けた。

『おじさん！　携帯電話のかけ方ってわかる？』

『ん？』

「そういえば組織の仲間はボスにメールを打っていたんだったな…」

テレビ画面を見ながらジェイムズがつぶやいた。

映像の中の西矢は眉をひそめて、手に持った携帯電話を眺めている。

『悪いが俺はデジタルオンチでな、さっぱりわからんよ…』

『そっかー。じゃあ何でつながらないかわからないね…。あ、もしかしてカーテンが閉まってるからかなぁ！』

そう言うとコナンは突然ベッドの上に上がり、窓の方へ近づいた。シャッシャッとカーテンをせわしなく開けたり閉めたりする。

『え？　お、おい何やってんだ!?』

『だからカーテンを開け閉めして部屋に電波を入れてるんだ!!』

『バ、バカ、そんな事をしても…ホコリがたつだけで…』

クシャミがこみ上げてきたのか、西矢は鼻をふがふがさせた。

『ヘッ…ヒッ…』

と、しゃっくりのように顔を震わせ鼻をつまんで押さえる。次の瞬間、『ヘヒュン！ブシュン！』と間抜けなクシャミを立て続けに二回もした。

『あ、ゴメンなさい…』

コナンは慌てて謝ったが西矢はかなり怒っているようで、額にくっきりと青筋がたっている。

『さ、さあ…用がないなら出て行ってくれ…俺が大人しくお願いしてる内にな…』

睨みつけられ、コナンは『う、うん…』とうなずいて、足早に病室を出た。

映像は、ここで終わりのようだ。

「次は頸椎捻挫で入院した…楠田陸道さんか…」

ジェイムズはリモコンを操作して、ビデオを次のチャプターへと進めた。

楠田はベッドの上に胡坐をかき、携帯ゲームで遊んでいた。首の骨を捻挫しているため、首にはギプスをはめている。

病室に入るなり、コナンはまたも、いきなり転んだ。

『いてて…』

痛そうに体を起こすコナンを、楠田が不審げに見やった。

『あん？　何コケてんだ??　お前…』

病室に入るなり転ぶという気の引き方は、西矢の時とまったく同じだ。

「同じ入りね…」

ジョディが厳しい批評家のような目つきで指摘する。

「これしか思いつかなくて…」

と、コナンは苦笑いした。

コナンが持っていた携帯電話は、転んだ拍子に、楠田のベッドのすぐ近くまで飛んでしまっている。

『ちょっと…ソレ、拾ってくれる？』

『この携帯か？』

楠田は、床の上の携帯に気づくと、携帯ゲーム機を置いて床の上に足を降ろした。楠田の視線がそれた隙をつくように、コナンが病室の中へと入り込む。

『くそっ！　首が痛ぇのによ！』

ぶつぶつ言いながらも、『ホラよ！』とコナンに携帯電話を差し出した楠田は、コナンが勝手に病室に入っている事に『ん？』と気がついた。

『何だテメェ!?　ちょろちょろしやがって!!』

斜め後ろを振り返り、楠田は声を荒らげた。

「え？」

映像を見ていたジョディが、驚いたようにつぶやく。

『ご、ごめんなさい!!　お兄さんの横顔、誰かに似てるような気がしてさ！』

コナンはあわただしく言い訳すると、無邪気な口調で話題を変えた。

『あ、そうだ！　お兄さん携帯のかけ方わかる？　いくらかけてもつながらなくて…』

『ああわかるけど…知らねぇのか？　病院で携帯なんか使ったらヤバイ…』

言いながら携帯電話を手に取った楠田は、画面を見るなりあきれた表情になった。

『――って、これ電池が入ってねえじゃねーか！』

『そっかー。ここに来る前にも落としたから、その時外れちゃったんだね！』

そう言うと、コナンは楠田の背後に視線をずらした。ビデオカメラの映像もそれに合わせて動き、壁際に置かれた棚が映し出される。棚の上には、飲みかけらしきコーヒーの空き缶がたくさん並んでいた。

『あー、お兄さん缶コーヒー好きなんだ！』

コナンが、缶コーヒーへと近づいていく。

『ああ…今も1本飲んだ所で…』

楠田が言いかけると同時に、コナンが空き缶へと手を伸ばした。しかし、勢いあまったのか、ガラガラン！　と全て床の上にぶちまけてしまった。

『おい、コラ、何やってんだ!?』

『ご、ごめんなさい…種類を見ようとしたら手が引っ掛かっちゃって…すぐ元に戻すからさ！』

コナンはかがみ込んで、床の上に散らばった空き缶を拾い上げた。幸いにも中身は乾いていたようで、床には何もこぼれていない。ストローなどの類もなかったので、空き缶を拾い上げるだけで済んだ。

楠田の映像はそこで終わっており、次が最後の容疑者だ。

「そして最後は右足を骨折した新木張太郎さんね…」

ジョディが、真剣な表情でテレビの画面を見つめる。

コナンはまたも入室と同時に転んで、携帯電話を新木のベッドのそばまで飛ばした。

『ん？　これを拾えじゃと？　まったく…足を折った老人にこんな事をさせおって…』

新木はベッドの上に右肘をついて体重を支えながら、億劫そうに手を伸ばした。

しかし、コナンが落としたのが携帯電話だと気がついて『ん？』と手を引っ込めてしまう。

『これは携帯電話じゃないか⁉　だったら自分で拾え‼』

『え？　どして？』

『ワシは虫と携帯電話が大嫌いなんじゃよ‼』

新木が、怒りの形相を浮かべて声を張り上げる。

『虫っていえば、おじいさんの左の襟元に何かついてるよ…』

コナンが慌てた声で言うと、新木は『え？』と入院着の襟元に視線を落とした。

『それクモなんじゃ…』
『何じゃとォ⁉』
新木はとっさに立ち上がり、右手で入院着の襟元を引っ張った。あらわになった左胸には
ぽっこりとしたふくらみがあり、縦方向に小さな傷跡がある。さっきまではベッドに右肘を
ついて体重を支えながらしゃがみ込んでいたが、今は両足でまっすぐに立っていた。
『あ…』
両足で立っている事に気がついて、新木ははっとしたようにつぶやいた。クモなどどこに
もいない。
映像を見ていたジョディが、「え⁉」と驚いて目をぱちくりさせた。
『あれ？　ゴミだったみたい…』
無邪気に首を傾げるコナンを、新木は鋭く睨みつけた。
『小僧…さては貴様…頼まれてワシに探りを入れに来たな？　お前を差し向けた医者に言っ
ておけ！　ワシの足はまだ治ってないし、体に害のあるレントゲンを撮る気もない‼　ワシ
が欲しいのは診断書だけじゃとなっ‼』

大声で喚き散らして、新木はコナンを病室から追い立てようとする。

『さあ、わかったらとっととワシの部屋から出て行けェ!!』

三人の容疑者の映像を見終えて、ジョディは「うーん…」と考え込んだ。

「3人ともうまくごまかしてるふうにも見えますね…」

「ああ…これはしばらくこの3人に見張りをつけねば…」

ジェイムズが難しい表情でうなずく。

しかし赤井は、何もかも見透かしたような表情で「いや…」と首を振った。

「見張りをつけるのは…たった1人…」

どこか楽しげにつぶやくと、赤井は背後にいるコナンの方を振り返った。

「そうだろ？　ボウヤ…」

「うん！」

コナンが元気よくうなずく。

どうやらこの二人には、三人の容疑者の誰が組織の人間なのか見当がついているようだ。

コナンと赤井達は、病院の中へと戻り、受付から病室へと続く廊下を歩いていた。目星のついた容疑者を見張るためだが、それが誰なのかジョディとジェイムズはわかっていない。

「ねえ秀一…本当に1人でいいの？　見張りをつける容疑者って…」

心配そうにジョディに聞かれ、赤井は「ああ…」とうなずいてコナンの方を見た。

「このボウヤが割り出してくれたからな…奴らの仲間が誰なのかを的確に…」

「割り出してくれたって…」

ジョディが困惑したように顔をしかめる。

「コナン君には悪いけど…あの3人の容疑者の前でころんで携帯電話を拾わせて使えるかどうか試した後、病室内をひっかき回したりして容疑者達を怒らせただけじゃない！　あれでどうやって特定したっていうの？」

「確かに、あの3人の中で携帯の使い方を知っていると言ったのは1人だけだったが…組織の仲間なら、むしろ使い方がわからない風に装うんじゃないか？　デジタルオンチだと言っていた西矢さんのように…」

ジェイムズに言われ、赤井は「いや…」と強めに否定した。

「急性腰痛で入院しているその男はシロですよ…自分達の仲間の水無怜奈を捜す目的でここに潜入した男が、今も腰を患ってるわけがありませんからね…」

「え？」

ジェイムズが戸惑った表情を浮かべる。なぜ赤井には、西矢の急性腰痛が仮病ではないとわかるのだろうか？

赤井は両手をズボンのポケットに突っ込んだまま、ゆっくりと自分の推理を語り始めた。

「彼は落ちた携帯を背筋を伸ばしたまましゃがんで拾っていた…あれは腰を痛めている証拠…。さらに、ボウヤがカーテンを開け閉めしてホコリを立てた時…彼は鼻を摘んでクシャミを我慢しようとし、耐えきれずに妙なクシャミをした…。体に力が入るのを恐れて、口から息が抜けるようなクシャミをね…。思いっきりすれば、かなり腰に響くはずですからねぇ…」

「でも、私も人前で出そうになったらよくそうするけど…それに、そう見せかけるために、わざとそうしたって事も…」

反論するジョディの方を、赤井は涼しげな笑みを浮かべて振り返った。

「あの時、その男の病室にいたのは見知らぬボウヤただ1人…気兼ねしてクシャミを我慢する理由は何も無い…。ボウヤの事を怪しんでいたのなら、携帯を拾って自分の指紋を付ける前に追い出しているはずだしな…」

「…なるほど…つまり組織の仲間はケガを偽って入院し続けているというわけか…」

ジェイムズに言われ、赤井は「ええ…」とうなずいて続けた。

「入院した時点ではどうかはわかりませんが、今は完治しているとみて間違いないと…」

「…言われてみれば、右足を骨折したっていう新木さんは怪しいわね…。あの人、折れた足を軸足にして拾おうとしていたし…」

ビデオの映像を思い出しながら、ジョディが言う。確かに新木はあの時、右肘をベッドの上について体重を支え、さらに右足を軸にしてかがみ込んでいた。

「その後、虫が襟元に付いてるってコナン君に言われて焦り…思わず両足で立ってたもの…」

「ああ…あの老人の足はもう治っているだろうが…。頸椎捻挫で入院した楠田さんも首は治っているんじゃないか？　彼は視界から消えたコナン君を捜すために首を回して振り返っていたから…首を痛めているのなら、肩ごと振り向くはずだからな…」

「それに缶コーヒーもしっかり飲み干していたしね！」

楠田に触れたジェイムズの言葉につけ足すようにして、コナンが言う。

「缶コーヒー？」

「ホラ、缶に入った飲み物を飲む時って、缶の上の面が鼻に当たっちゃって首を反らして上を向かないと全部飲めないでしょ？　なのにあの人が飲んだ缶コーヒーを床に落としても、中身がこぼれた缶はなかったよ！　それって全部飲んだって事だよね？　あの人、ついさっき1本飲んだって言ってたから、乾いたわけじゃないしさ！」

コナンが楠田の病室で空き缶を倒したのは、中身が入っていない事を確認するためだったのだ。

ジョディは、考え込むように腕組みをした。

「…だとすると、仮病なのは2人になるけど…組織の仲間以外のもう1人は何で嘘なんかを？」

「入院保険が目当てだろうな…あのジイさんの方は…」

赤井が言うと、ジョディは「え？」と不思議そうに聞き返した。

「日本にも20日以上入院しなければおりない保険はざらにある…だからレントゲンを拒否し続けて、治っているのを隠していたんだよ…。保険を請求するのに必要な医師の診断書を手に入れたがっていたしな…」

「…でも、それこそ、そう見せかけるためにわざとそう言ったかもしれないじゃない！」

「そうだな…あの老人はコナン君を医者の回し者だと言っていたし…完治している事がバレそうになれば最初から保険金目当てを装うつもりで…」

ジョディとジェイムズが、口々に赤井の推理に反論した。

「それにあの老人だけよ、携帯電話に触りもしなかったのは！　怪しくない？」

さらに重ねるジョディに、コナンが「触れなくて当たり前だよ！」と口をはさんだ。

「あのおじいさん、心臓の働きを助けるペースメーカーを付けていたんだもん！　電波を出してる携帯電話なんか近づけたら壊れちゃうかもしれないでしょ？　まぁ、拾ってもらおうとしたボクの携帯電話には元々電池は入ってなかったけどね！」

コナンが携帯電話の電池を抜いておいたのは、ここが病院である事を配慮したためだったのだ。病院内では、新木のようにペースメーカーをつけている患者がどこにいるかわからない。

「で、でも、どうしてあの老人がペースメーカーを付けてるなんて？」

ジョディがうろたえて聞く。

「ホラ、おじいさんの左の鎖骨の下に、傷跡がついてるポッコリした出っ張りがあったでしょ？　あれってペースメーカーを埋め込んだ手術跡だよ！」

「じゃあ君があの老人の襟元に虫がついていると嘘をついたのは、驚かせて立たせるためじゃなく…ペースメーカーを付けているか確かめるためだったのね！」

コナンは「うん！」とうなずいた。

新木が携帯電話に触ろうとしなかったのを見て、コナンは彼がペースメーカーをつけている可能性を瞬時に想定し「虫がいる」と嘘をついたのだった。その際、新木が両足で立ったので、骨折がすでに治っている事を結果的に確信したのだ。

「なるほど…組織のボスに携帯電話でメールを打つ事ができないあの老人は、容疑者から外れるというわけか…」

「ええ…」

ジェイムズの言葉にうなずきながら、赤井は小さく片手を上げた。廊下の先にいる、見張り中の捜査官に合図を送ったのだ。仲間の男は、突き当たりの廊下を右に進んだ先を指さした。そこに容疑者がいるのだろう。

「残るは恐らく、頸椎捻挫の影響で目眩や吐き気がすると偽って…退院を先伸ばしにしているであろう…楠田陸道、ただ1人に…」

赤井は声をひそめ、壁の陰から廊下の様子をうかがった。首にギプスをはめた楠田が、見張られているとも知らずに歩いている。

「すぐに押さえます?」

ジョディがジェイムズに聞く。

「いや…しばらく様子を見て、彼が尻尾を出してからでも遅くはない…。わずかだが、彼も入院保険目当てのただの患者だという可能性もあるしな…」

「まあ、大勢で張り付いて、妙な素振りをしたら即、捕まえるのが無難でしょう…」

楠田から目を離さずに赤井が言う。

ジェイムズは「ああ…」とうなずくと、踵を返し、楠田から離れ、逆方向に歩き始めた。

目星はついた。次の行動に移るべく作戦を立てなくては。

前を歩くジェイムズの後を、赤井とジョディ、そしてコナンが追いかける。

楠田から十分離れた所で、ジョディがジェイムズに言った。

「それはそうと、ちゃんと検討してくださいね！　水無怜奈を他の病院に移す件…」

「ああ…これから院長に聞きに行くつもりだよ…。知り合いに、口が堅くて話のわかる医者がいないかを…。なんとか楠田を捕まえる前に移したいところだが…」

「だったらやっぱりアメリカに…」

ジョディは水無をアメリカに移したいらしい。確かにアメリカならFBIであるジョディ達の権限も大きく、今よりもっと自由に捜査が出来るのだろうが、国境を越えて人を移動させるのはハードルが高い。ジェイムズは「無茶言わんでくれ…」と顔をしかめた。

会話を交わしながら、コナンとジョディ達はぞろぞろと廊下を歩いていく。

彼らが通り過ぎた後、ある病室の扉がチャッと小さく開いた。

その隙間から一人の人物が、じっとコナン達の様子をうかがっていたのだが、FBIもコナンも、彼に気づいた素振りは見せなかった。

その夜。

面会時間もとうに過ぎ、すっかり静まり返った病院の中を歩き回る、怪しい人影があった。

楠田陸道だ。

楠田は、時折すれ違う看護師を物陰に隠れてやり過ごしながら病院内をどこかへ進んでいく。やがてナースステーションの前までやってくると、柱の陰に隠れて、手に持ったスイッチを押した。

すると、「根岸」と書かれたナースコールボードがブーブーという音と共に点滅し始めた。

ナースコールボードには、入院中の全ての患者の名前が書かれている。患者がナースコールを押すと、名前と病室番号が点滅する仕組みになっているのだ。

「あら…またこんな時間に根岸さんのナースコール…。また誤作動かしら…？」

看護師が不審に思いながらも、病室へと向かっていく。

その隙に楠田はナースステーションへと入り込み、ナースコールボードに書かれた患者の名前部分をデジカメで撮り始めた。

（水無…水無…この病棟にもいねぇか…）

どうやら楠田は、水無怜奈の名前を探しているようだ。

その時タイミング悪く、さっきとは別の看護師がナースステーションへと入ってきてしまった。

「ちょっとあなた⁉　何やってるの⁉」

見とがめられ、楠田は自然な表情で「あ、いや…」と頭をかいた。

「道に迷っちゃいやして…ここに地図ないかなぁって…」

「ああ…トイレならその先の階段を降りた所にあるから…」

「すみやせんねぇ…」

謝りながらナースステーションを出ていこうとした楠田だが、慌てていたのか手の甲を棚にぶつけてしまった。

「あ…」

カン！

手の中に握ったデジカメが、床に落ちる。看護師はかがみ込んでカメラを拾うと、楠田に手渡した。

「ホラ、早くトイレ済ませて病室に戻って！」

「どーもどーも…」

カメラを受け取り、楠田はへらへらしながら去っていこうとしたが、数歩も歩かないうちに足を止めた。

「――って…おかしくねぇか？　看護師さんよォ…。このカメラを見りゃ、俺がナースステーションに入って何かの写真を撮っていた事ぐらい想像できるだろ？　なのにお咎めなしかよ？」

声色も口調も、さっきまでとは別人だ。楠田は看護師の方を振り返ると「何者だてめぇ…」とすごんだ。

「FBIよ!!」

銃を構えたジョディとFBIの仲間達が、ザッと楠田の前に姿を見せる。

「両手を見えるように頭の後ろで組んで、跪きなさい!!」

ジョディに銃口を向けられ、楠田は両手を上げたが、その表情は余裕のままだ。

「ホー…。FBIかよ…」

独り言のようにつぶやくと、口の端をゆがめて笑う。

「んじゃ、水無怜奈がおねんねしてる場所は…ここで当たりだったたってわけだ…」

「ええ…もう少し泳がせて確実な証拠をつかむつもりだったけど、必要なかったようね…。

さぁ早く跪いて！　患者さん達が起きない内に！」

ジョディにせかされ、楠田は頭の後ろで手を組む振りをしながらギプスの留め具をビッと剥がした。

「じゃあ目を覚まさせてやろーじゃねーか…このC4を破裂させてなァ!!」

ギプスが外れ、その下から出てきたのは、楠田の首に巻かれた爆弾だ。

「プ、プラスチック爆弾!!」

物陰から様子をうかがっていたジェイムズが、思わず息をのむ。ジェイムズの傍らには、赤井の姿もあった。

「動くなよ！　このフロアを吹き抜けにしたくなきゃな…」

ジョディ達をけん制しながら後ずさり、楠田はダッと走り出した。

「彼は多分自分の病室に戻って痕跡を消し、そこの窓から逃走する気よ！　外から回り込んで逃がさないで!!」

ジョディはＦＢＩの仲間に指示を飛ばしながら、楠田の病室へと走る。捜査官達は「はい!!」とうなずいて、ジョディの後を追った。

しかし、ジョディの読みは外れた。楠田は自分の病室には戻らなかったのだ。

「え!?　ウソ!?　病室に寄らずに救急の出入り口から駐車場に出て車に!?」

病院内の仲間から連絡を受け、ジョディは唇を噛んだ。

「読まれてた!?　くっ！」

今から駐車場に行ったのでは間に合わない。ともかく外に出ようと正面玄関を飛び出したところで、見覚えのある車が駐車場を出ていくのが見えた。赤井の車だ。

（秀一!!）

赤井は、楠田が車で逃げる事を想定していたのだ。

すぐに楠田の車を見つけ、赤井はアクセルを踏み込んだ。

『頼んだぞ赤井君！　組織に連絡される前に、なんとしても彼を確保するんだ!!』

ジェイムズからの電話を受け「了解…」と低い声でうなずく。

「もっとも、奴が携帯を今も所持していたら止められませんがね…」

「大丈夫…」

助手席で声がした。見ると、いつの間にか乗り込んでいたコナンがヒョコっと助手席のシートの上によじ登っている。

「あの人が病室を出てる隙に、あの人の携帯電話を探して水に沈めて壊しておいたから…」

「フン…FBIを信じてたんじゃなかったのか？」

「念には念を入れただけさ…」

そう言うと、コナンは赤井に意味深な視線を向けた。

「でも派手に見張りを付けて焦って捕まえようとすれば、こうなる可能性がある事ぐらい…

赤井さんなら読めてたはずだよね？」

「さあ…どうだかな…」

赤井は前を走る楠田の車を見つめながら、はぐらかすように微笑んだ。

車で逃走を続けていた楠田は、赤井の予想通り、携帯電話で組織に連絡を取ろうとしていた。しかし携帯はコナンによって壊されており、作動しない。

「くそっ!!　こんな時に故障かよ!?」

楠田は携帯電話で連絡を取る事を諦め、ダッシュボードを開けた。そこには、一丁の拳銃が隠されていた。

その時、一台の車がグオッと追いついてきて楠田の隣に並んだ。ドライバーの姿を見て、楠田は息をのむ。そこにいたのは組織の上層部すら恐れる凄腕の狙撃手――赤井秀一だったのだ。

パン！

楠田は赤井に向けて銃を撃ったが、赤井の車はすごい勢いで後退し、難なくよけられてしまう。

（あ、赤井…秀一だと⁉）

かなわない相手に追われていると知った楠田は覚悟を決め、手の中の銃を握りなおした。

銃口をこめかみに当て、引き金を引く。

パン！

発射された銃弾が楠田の頭を貫いた。楠田は即死し、運転手を失った車は蛇行しながら、土手へと突っ込んでいった。

赤井は車を停め、コナンとともに土手を降りて楠田の車へと近づいた。車は土手を転がり落ちたせいで、あちこちひしゃげている。運転席には、拳銃で自殺をした楠田の遺体があった。

赤井はジョディに電話をかけ、楠田の車が停まった事をひとまず知らせた。

「え？　止めた？　組織に連絡される前に彼を止めたのね!?」

「ああ…だが…奴には拳銃であの世に逃げられてしまったがな…」

淡々と答えながら、赤井は楠田の遺体を見下ろした。

「拳銃で自殺という事は、あの爆弾はハッタリだったか…」

電話口の向こうで、ジェイムズが言う。

「でも、水無怜奈の居場所はバレないですんだわね…」

ジョディの声はほっとしているようだったが、赤井は「いや…」と声を硬くして続けた。

「これで確実に奴らに知られる事になる…こいつは何らかの方法で潜入先の病院の調査報告を定期的に組織にしていたはず…。それが完全に途切れ…しかもその報告を毎日していたとしたら…」

楠田の連絡が途絶えた事で、この病院に水無怜奈がいる可能性が高いと組織は判断するだろう。ジン、ウォッカ、ベルモット――組織の大物が、水無確保のために動き出すはずだ。

「来るぞ、明日にでも…」

(奴らが!!!)

電話で話す赤井の声を聞きながら、コナンはギリっと奥歯を噛みしめた。

一台の車が高速道路を走っている。ポルシェ３５６Ａ——黒ずくめの組織の一員、ジンの愛車だ。ハンドルを握るのはウォッカで、ジンは助手席に、そして後部座席にはベルモットが座っている。

「杯戸中央病院…ＦＢＩが拵えたキールの檻はそこだったか…」

ジンが低い声でつぶやくと、ウォッカは「ええ…」とうなずいた。

「その病院に潜り込ませた仲間からの連絡が途絶え…別の仲間に様子を見に行かせたらウジャウジャいたそうですぜ…。物陰に潜んで辺りを警戒してるＦＢＩの連中が…」

「フン…バレたと踏んで見張りの頭数を増やしたか…」

「まあ感謝してよね…」

ベルモットが妖艶に微笑んで言う。

「キールが大ケガを負って、どこかの病院にいるかもしれないっていう情報…私がつかんだんだから…」

「その情報をくれたガキ…FBIに匿われているようだが…」

ジンに言われ、ベルモットは小さく肩をすくめた。

「相手は子供…今のところ放っておいても問題ないんじゃない？」

「しかし、どーやってキールを連れ出すんですかい？　FBIが固めているその病院から…」

ウォッカが、ジンの方へとちらっと視線を向けながら聞く。

「ヘタに事を起こしやすと組織の存在が世間に…」

「確かに…何もなかったかのように、FBIからキールをかっ攫うのは骨だ…。かっ攫うのはな…」

意味深なジンの口調に、ウォッカは「え？」と困惑した。

「どういう意味ですかい？　兄貴…」

「フン…心配するなウォッカ…。いろいろ手は打ってある…」

「まあせいぜい気をつけるのね、ジン…」

ベルモットが、挑発するように言った。

「向こうにはシルバーブレットが目を光らせているから…」

「赤井秀一…」

ジンは唇の端をゆがめて、冷たく笑った。

「俺の頬骨を鉛の弾で抉ったあのＦＢＩなら…この件に乗じて処理する算段だ…」

そう言うジンの左頬には、横長の傷跡がある。それは、以前組織に潜入していた赤井秀一によってつけられたものだった。

「殺っちまうんですかい？」

「ああ…あの方が奴の何を恐れているかは知らねぇが…所詮1匹…。銀の弾1発だけじゃ、黒い大砲には勝てねぇよ…」

ジンは、早く赤井と対峙したくて仕方がないようだ。そんなジンの姿にベルモットは何も言わなかったが、心の中では（いや…）と否定していた。

（組織の心臓を射抜けるシルバーブレットは…もう1発…）

ベルモットの頭に浮かぶのは、工藤新一、そして江戸川コナンの姿。ベルモットは、コナンこそ、組織を壊滅させる可能性を秘めたもう一発の銀の弾丸だと確信しているのだった。


一方、病院では、捜査官達の間で意見が割れていた。

「移動ですよ!! 移動!! ここに水無怜奈がいる事を組織に知られてしまう可能性がある以上、ここに留まる意味はありません!!」

水無の移動を強く主張しているのは、ジョディだ。

「議論の余地なんてないでしょ!?」

部下に食ってかかられて、ジェイムズは「だがなぁ…」と片眉を上げた。

「移動先の病院も決まっていない状況で、昏睡状態の彼女を闇雲に連れ回すのは…」

「それに、今動けば途中で蜂の巣にされかねない…」

赤井が窓の外の様子をうかがいながら言うと、ジョディは「え?」と困惑した。

「裏のエリアを警戒していた捜査官が、隣のビルの屋上に蠢く不審な人影を視認したそうだ…」

「じゃあ組織はもう…」

ジョディは言葉を失った。もしかしたら、もうすでにこの病院は組織の人間に包囲されているのかもしれない。

「とにかくこの状況を院長に話して、何か策を練らねば…」

「いえ…それは止めた方がいい…」

病室を出ていこうとしたジェイムズを、赤井が制止した。

「え？」

「事情を話してヘタに協力させれば、奴らの目には最初から病院ぐるみで水無怜奈を匿っていたように映り、無関係な医者や看護師まで巻き込む恐れがありますが…逆にこの状況で病院側に何の動きもなければ、ＦＢＩと関わりのないただの病院だと思わせられるかもしれませんから…」

ジェイムズは、短い沈黙の後「…そうだな」とうなずいた。

「こうなってしまったからには、そうするしか院長達を守る手立ては…」

「でも、ここから動けない患者さんも大勢いるんですよ!?　そんな所に組織が乗り込んで来るとわかっているのに何も教えず、ただ待ってるなんて…」

切羽詰まった様子のジョディに、赤井が静かに言った。

「ただ待つんじゃない…引くんだよ…」

「ひ、引くって、彼女を置いて逃げるって事!?」

「いや…引くのは手薬練だ…」

戸惑うジョディを横目に見て、赤井は不敵に微笑した。

「迎え撃とうじゃないか…はぐれた仲間を連れに来た黒い狼共を…」

ジェイムズが「ウム」とうなずく。

「そうするしかなさそうだな…昼間の時点で捜査官も数人呼び寄せた事だし…」

「ああ…こんな事になるなら、ナースステーションで写真を撮ってた彼を止めなきゃよかったわ…。関係のない患者達の情報を、組織に渡したくなかっただけなのに…」

ジョディの表情は悔しげだ。

ジェイムズが、なぐさめるように声を掛ける。

「まあ、いずれバレていたよ…コナン君がすでに彼の携帯電話を壊していたようだから…」

「いや…ボウヤが携帯を壊したのは、奴が組織に連絡を取るのを阻むためだけではなく、その連絡方法を知るため…。奴がトイレや部屋にこもって携帯のメールで連絡を取っていたとしたら、その方法を知る術はないが、携帯を潰せば、それ以外の方法を取らざるを得なくなる…」

赤井がコナンの方を見ながら言うと、ジェイムズは納得したように「なるほど…」とつぶやいた。

「その方法が我々の目の届く公衆電話やネットカフェだったなら、誰にどんな言葉や文体で連絡していたかがわかり、彼を捕らえた後も彼を装って連絡し続ける事はできたというわけか…」

「ええ…つまりミスをしたのはこのボウヤじゃなく…我々ＦＢＩだけだという事ですよ…。そんな方法すら思いつけなかった…私も含めてね…」

含みのある言い方をして、赤井はコナンの方へと視線を向けた。自嘲していたわりには、まるでこの状況を楽しんでいるかのような表情だ。

「………」

赤井の視線を受け止めて、コナンは沈黙した。

「とにかく交代で休んで奴らに備えましょう！　このまま神経を尖らせ続けると、奴らが来る前に参ってしまう…」

赤井が切り替えるように言うと、ジェイムズは「ああ…そうだな…」と同意した。

「まぁ思いついたら報告に来ますよ…。奴らを迎え撃ついい策を…」

赤井は言い残すと、そのまま病室を出ていってしまった。

閉じた扉の方をしばらく見つめ、ジョディはジェイムズにゆっくりと聞いた。

「どう思います？　秀一の事…」

「どう、とは？」

「組織がここに乗り込んで来るこの状況を、何か喜んでいるように見えるんですけど…」

ジョディがこわばった声で言うと、ジェイムズも神妙な表情になった。

「それはないと言えば嘘になるな…組織と直接切り結ぶ事が出来れば、彼女の仇を討つ機会も出て来るし…」

穏やかならぬ言葉を聞いて、コナンが「彼女の仇？」と口をはさんだ。

「秀一の彼女…殺されたのよ…。数か月前、彼らに…」

「え？　何で？」

「その彼女、組織の関係者だったらしくて…組織を抜けようとして消されたって秀一は言ってたわ…」

「ど、どうしてそんな女の人と赤井さんが？」

赤井の意外な過去を知り、コナンは戸惑いながらも質問を重ねた。

「組織に近づくためよ…」

ジョディはかがんで、コナンの顔をのぞき込みながら言った。

「彼女自身は組織に深く関わっていなかったようだけど、彼女の妹が組織の科学者だったらしくて…」

「妹？　科学者？」

組織で科学者をしていた女性と聞いて、コナンの脳裏に真っ先に浮かんだのは灰原哀の事だった。彼女にも姉がいたはずだ。

「ああ…赤井君はその妹と顔見知りになり、妹の周りの人間とコネクションを持つことによりうまく潜り込んだんだ…。諸星大という偽名でその組織の一員として…。5年前から2年前までの3年間だけだったがね…」

コナンは（え？）と目を見開いた。

ジェイムズは淡々と、当時の赤井について語り続ける。

「組織の中で彼は実にうまく立ち回った…最初は目立ち過ぎず、徐々に頭角を現していき…『ライ』というコードネームを与えられ、ついに組織の幹部の1人『ジン』と呼ばれる男との仕事に漕ぎ着けたんだ…」

（ジン…）

因縁の相手の名前を聞き、コナンは奥歯を噛みしめた。

「その男さえおさえればボスまで辿り着けると踏んで、我々FBIもその仕事の集合場所に先回りし、身を潜めていたんだが…彼らは来なかったよ…。夜が明けるまで待ったがな…」

「まさかバレたの？　FBIって…」

コナンが慌てて聞くと、ジョディが「ええ…」とうなずいた。

「張り込んでた捜査官のちょっとしたミスでね…。お陰で秀一は組織にフラれちゃったってわけ！」

「じゃあその赤井さんの彼女、その時に殺されたの？」

「ううん…彼女の妹は組織にとって本当に重要な人間だったらしくて、手が出せなかったみたいよ…秀一もそう読んでそれ以来、彼女と会っていなかったようだしね…」

「まあ、接触したくても、彼女も妹もその直後に住所を移されて、連絡の取りようもなかったが…」

そう言うと、ジェイムズは少し声を暗くして続けた。

「組織が、ＦＢＩを引き込みこれから先も連絡を取る恐れがある女を、いつまでも野放しにするわけがなく…業を煮やした組織は彼女に話を持ち掛けた…。ある仕事をこなせば彼女も妹も組織から抜けさせてやると…。もちろん失敗すれば彼女も妹の命もないという条件で…。組織としてはその仕事に失敗した理由で消したかったようだが…10億円を強奪するというその仕事を、彼女は成功させてしまい…理由もなく消される羽目になったというわけだ…」

十億円を強奪する——その事件内容に、コナンは心当たりがあった。

「ね、ねぇその彼女の名前って…」

コナンが問いただすと、ジェイムズは静かな声で答えた。

「本名は宮野明美…偽名は広田雅美…忘れはせんよ…」

(は、灰原の姉さん!?)

数か月前、コナンはまさにその十億円強奪事件に関わった事があった。広田雅美は、行方をくらました仲間を捜すため、毛利探偵事務所を訪ねてきたのだ。彼女が十億円事件の強奪犯だと気づき、コナンが駆けつけた時には、広田雅美はすでにジンの手にかかった後だった。腹部に銃弾を受けた彼女は、コナンが見守る前で亡くなってしまったのだ。

広田雅美は偽名で本名は宮野明美であり、また彼女が灰原哀の姉だと知ったのは、事件からしばらく経った後の事だった。

(じゃあやっぱりその科学者っていうのは灰原か!!)

「ここまで詳しくわかったのは、その仕事の前日に赤井君の携帯に彼女からメールが送られて来たからだよ…」

ジェイムズが、沈痛な表情を浮かべて言う。

「2年前、FBIだとバレて以来ずっと音沙汰がなかった彼女から…。恐らくFBIに利用されたとわかった後も赤井君の事が忘れられなかったんだろう…。そして、彼女を亡くした時の赤井君の様子から察すると…」

ジョディは視線を落としてうなずいた。

「ええ…多分、秀一も彼女の事を…」

赤井は屋上で、携帯電話の画面を見つめていた。表示されているのは、十億円強奪事件を起こす直前、宮野明美から届いたメールだ。

**——大君…**

**もしもこれで組織から**

**抜けることができたら**

**今度は本当に彼氏として**

**付き合ってくれますか？**

# 明美
## P.S.

メール画面をスクロールしようとすると、ふいに「ねぇ…」と声を掛けられた。

「ちょっと話しない?」

屋上の扉を開けて出てきたのは、コナンだ。

「フン…」

赤井は隠すように携帯電話を閉じた。

「奴らを迎え撃つ策ならまだ思案中だが…」

「でもさーボク、赤井さん見てて思ったよ! もしかしたらボクと同じ事、考えてんじゃないかって!」

コナンが挑戦的に目を細めて言うと、赤井は「ホー――…」と唇を尖らせた。

二人の立てた策とは、どのようなものなのだろうか。屋上を去って廊下を歩きながら、赤井とコナンは、お互いに自分の考えや作戦を伝え合った。

「ホー……ボウヤにはいつも驚かされるな…」

赤井は、すっかりコナンに感心しているようだ。

一方のコナンも、「赤井さんが味方でよかったよ…」と、赤井の実力を認めていた。

「ボウヤもな…」

赤井は、水無の病室に到着すると、ノックをして扉を開けた。

「そろそろ休め…夜は長い…」

見張りをしていた男性捜査官に声を掛ける。捜査官は「あ、はい…」とうなずいて、あくびまじりに病室から出ていった。

男が遠ざかるのを待って、赤井は見張りのいなくなった病室へと入った。

眠り続ける水無と、病室に二人きりになったのもつかの間。すぐにコンコンと扉がノックされた。

「赤井さん！　緊急招集です！」

どうやら別の仲間が赤井を呼びにきたようだ。

「作戦会議か…」

「ええ…」

「良策があるんならいいんだがな…」

仲間と話しながら、赤井が病室を出ていく。

赤井の足音が遠ざかるのと入れ違いに、再び病室の扉が開いた。入ってきたのは、入院着を着た本堂瑛祐だ。

瑛祐は後ろ手に扉を閉めると、「おい…」と水無に声を掛けた。

「起きろよ、水無怜奈…。お前が起きないと…瑛海姉さんが今どーなってるか聞けないじゃないか!!」

瑛祐は、目に涙を浮かべながら近づき、水無の身体を揺さぶった。

「おい、起きてくれよ!! お前、またどっかに連れて行かれちゃうんだろ!? その前に目を開けてくれ!!」

しかし水無は、目を閉じたまま反応しない。

瑛祐は必死の表情で、手に握り締めたハサミを振り上げた。

「開けろって…いってん…だろ!?」

パシ！

振り下ろしかけた瑛祐の手首を、つかんで止めた者がいた。

水無怜奈だった。医者の診断では意識不明と言われていたが、実は目が覚めていたのだ。

「ダメよ…瑛ちゃん…」

水無は、まるで姉のような口調で、諭すように瑛祐に語りかけた。


FBIは夜どおしかけて着々と、組織を迎え撃つ準備を進めていた。まもなく空き部屋に集まり、話し合って作戦を決定することになっている。

作戦会議が行われる空き部屋へと向かおうとしてたジョディは、病院の外に見覚えのある男が立っているのに気がついて、「ちょっとあなた！」と声を掛けた。

「今回増員された捜査官？」

「あ、はい…アンドレ・キャメルです！　ちょっと妻から電話が入って…」

男はそう言って、片手でＦＢＩの身分証を見せながら振り返った。もう片方の手には、携帯電話を握り締めている。体形はがっしりとしていて、ストレートの黒髪を長く伸ばした風貌がどこか不気味だった。

「じゃあさっさと終わらせて！　作戦会議よ！」

せわしなく言い、ジョディは病院の中に戻っていく。

キャメルは、おもむろに携帯電話を耳に当てると、会話を続けた。

「はい…手筈どおりに…」

そう話すキャメルの口調は深刻そうで、とても妻と話しているようには聞こえなかった。


病院内にいるＦＢＩが、作戦会議が行われる病室に続々と集まってきた。電話をしていて遅れていたキャメルが姿を見せたところで、作戦会議のスタートだ。

それぞれに話し合い、まずはブロックごとの持ち場を決めてリーダーを選んだ。そして、ジェイムズが全体の作戦について取りまとめて説明を始めた。

「患者を運ぶストレッチャーと、それを乗せられる車を3台ずつ用意した…。最悪の場合、これを使って組織を攪乱しつつ、水無怜奈を連れ、この病院から脱出する！」

重々しく言うと、ジェイムズは少し口調をゆるめて「まあできる事なら使いたくはない策だがな…」とつけ足した。

「何か質問は？」

ジョディが聞くと、一人の男が「あ、いいですか？」と片手を挙げた。

「連絡方法なんですが…携帯電話や無線はダメなんですよね？」

「ええ…。ここは病院…医療機器に支障をきたすそれらの使用は極力避けて！　携帯は盗聴されやすいしね！　何かあったら各ブロックごとに決めたリーダーに口頭で伝え、リーダーは屋外に出て、駐車場で待機しているジェイムズに無線で連絡し指示を仰ぐように！」

すると、黙って聞いていたキャメルが突然「フ…」と笑い声をもらした。どこかバカにするように、半笑いの口調で言う。

「まどろっこしくありませんか？　そんな伝言ゲームのような真似をしていたら、奴らに大事な油あげを盗られてしまうのがオチ…。ここから脱出する用意が出来ているのなら、いっその事、今すぐに彼女を移動させた方が…」

「いや、それはあくまでも最終手段！」

ジェイムズが、キャメルを遮って言った。

「組織に水無怜奈の病室を知られていないこの状況で、こちらから動くのは危険だよ…。組織はこの病院から出て来る車を目を皿のようにして見張っているはずだし…。ここに潜伏していた組織の仲間である楠田という男が、熱を感知する赤外線サーモグラフィーを隠し持っていた事を踏まえると、その車に乗った人数で我々ＦＢＩの車だと気づかれて狙い撃ちに遭う可能性が高い！　そうなれば、組織の銃弾をかい潜って逃げねばならなくなるからな…」

「しかし緊急時にすぐに連絡が取れないというのは…」

と、キャメルはなおも食い下がろうとしたが、ジェイムズの意見は変わらない。

「もちろん、その場合は直接私の無線に連絡してくれ！　その判断は君達に任せるよ！　まあ組織とて拳銃やマシンガンをひっさげて派手に乗り込んで来やしないだろう…その存在を世間に知られたくないだろうしな…」

ジェイムズの言葉に「ええ…」と同意したのは、赤井だ。

「影のように忍び寄り、霧のように消え失せる…それが奴らの常套手段ですからね…」

言いながら、赤井は後ろ手に病室の扉を閉めた。どうやら今入ってきたところらしい。

「ちょっと、どこにいたの？　作戦会議終わっちゃうわよ!?」

ジョディが文句を言うが、赤井はしれっとした態度で「問題はない…」と答えた。

「その3台のストレッチャーと駐車場に待機している3台のバンで大体の策は読める…。あまりいい策とはいえんが、予想はしていたよ…」

そう言うと、赤井は「なあボウヤ！」と隣にいるコナンに視線を向けた。

「うん！」

コナンが元気よくうなずく。

遅れてきた赤井とコナンを、ジョディは「なによ2人共、偉そーに！」と睨んだ。

「大体コナン君はそろそろ家に帰んなきゃいけないいんじゃないの？」

「大丈夫だよ！　今晩は博士の家に泊まるって言ってあるし…。ちゃんと仮眠も取ったしね！」

相変わらず抜け目のないコナンに、ジョディは「――ったく…」とあきれてしまう。

「それじゃあ一応配置につきますが…」

病室を出ようという直前、キャメルがジョディ達に声を掛けた。

「ここからトンズラする事になったら言ってくださいよ…。ドライブテクには自信があるんでね…」

ほかのＦＢＩ達も、キャメルと一緒にゾロゾロと病室を出ていく。

キャメルの後ろ姿をじっと見つめながら、ジョディは隣にいる赤井に聞いた。

「ねぇ秀一…。今の彼、どこかで見た事ない？」

赤井が「ん？」と首をひねって、ジョディの視線の先を追う。

「今回増員された捜査官なんだけど…」

「さぁ…味方の顔はどうも…」

赤井は興味なさげに言うと、左手で缶コーヒーを開けながら、「敵の面なら忘れないんだがな…」とつけ加えた。

「まぁ見覚えがあるのは当然だよ…同じFBI捜査官なんだから…」

ジェイムズが言うが、ジョディはそれでも納得がいかないようだ。

「ええ…ですけど、彼を見ると何か危うい感じがして…」

その時、突然、カン！ と甲高い音が病室に響きわたった。見れば、床の上に、缶コーヒーが転がっている。

「あ…」

どうやら赤井が、左手に持っていた缶コーヒーを床に落としてしまったようだ。

「ちょっと大丈夫!?」

「ああ…」

缶コーヒーを拾い上げる赤井の顔を、ジョディはじっとのぞき込んだ。

「ロクに寝てないんじゃないの？ 目の下に隈できてるし…」

(いや、それは元から…)

と、コナンが心の中で突っ込みを入れる。

確かに赤井の目の下にはくっきりとした隈が浮いているが、いつもあるので、おそらく生まれつきのはずだ。

「まあ、警備がてら外の空気でも吸って来ますよ…」

そう言って病室を出ていく赤井を、ジェイムズは「ああ…」とうなずいて見送った。

ジョディが心配そうにため息をつく。

「やっぱり秀一…殺された彼女の事で入れ込み過ぎなんじゃ…」

「いや、彼の場合入れ込んでくれるぐらいが丁度いい…」

赤井の性格をよく知るジェイムズは、落ち着いて言った。

「組織にいた事がありその手口を把握している赤井君は、組織にとって何度もその命を絶とうとした天敵であり…我々ＦＢＩが有する絶対的な切り札なのだから…」

* * *

その頃。

病院の近くにあるファミリーレストランＨＡＩＤＯでは異変が起こっていた。

パリン！

皿の割れる音が店内に響きわたり、客たちは「え？」と音のした方に視線を向けた。

一人の男性客が腹を抱え、テーブルに突っ伏して苦しんでいる。

「お客様!? どうかなさいましたか？」

「は、腹が…急に…」

客を心配する店員に、別のテーブルの客が声を掛けた。

「す、すみません…こっちも…」

「え？」

見れば、男性客が体をかがめて苦しんでいる。その隣にいる女性客も顔が真っ青で、かなり具合が悪そうだった。

同じ頃、ファミリーレストランの近くにある杯戸駅でも、異変が起きていた。

『4番線に電車が参ります、白線の内側まで下がってお待ちください！』

駅員のアナウンスが響く中、ホームで電車を待っていた乗客達が、一斉に咳をし始めたのだ。

「コホ、ゴホゴホ！」

「コホ、ケホ…」

「の、喉が…」

乗客達は辛そうに口や喉、目を押さえている。

「目も…」

「何か変な臭いしない？」

目にかゆみを訴える人や、異臭を感じている人もいるようだ。

ガスでも漏れているのか、ゲホゴホと咳き込みながらうずくまってしまった人も現れ始めた。

「ちょっと駅員さん！　救急車を!!」

「は、はい!!」

駅員が、あわてて119をダイヤルする。

また同じ頃、映画館では沖野ヨーコの新作映画『Kiss Note』が公開中だった。

「早くあのノートを取り戻さないと…みんなの心が壊れちゃう!!」

クライマックスのシーンで観客達が沖野ヨーコの演技に見入っていると、突然場内が明るくなった。

『火災が発生しました！　係員の指示に従って避難してください！』

アナウンスとともに、ジリリ……と火災報知器が鳴り響いている。

「ウソ…」

「マジかよ⁉」

観客達は大慌てで、会場からドドド…と逃げ出していく。

映画館からもうもうと立ち上る黒煙はすさまじく、杯戸中央病院からも確認出来た。

「火事？」

病室の窓から見える町の光景にジョディは戸惑っていたが、赤井はすぐにピンときた。

（そうきたか…）

彼にはすぐにわかったようだ。この騒動が、組織の仕業だと。

コナンが赤井、ジョディとともにナースステーションに行くと、宅配業者が看護師と押し

問答をしていた。

「え？　ジェイムズ・ブラックさん？　そんな患者さんは入院されていませんけど…」

「いや、患者さんじゃなく、付きそいの人だと聞いたんですが…」

どうやらジェイムズ宛に荷物が届いているらしい。

「その人なら私の知り合いだけど…あなた誰？」

ジョディが声を掛けると、宅配業者の男は「あ、はい！」と顔を向けた。

「宅配の荷物の届けです！」

「誰に何を頼まれたの？」

「えーっと、依頼主は楠田陸道って方ですね…」

宅配業者が伝票を見ながら確認する。

「く、楠田陸道⁉」

ジョディは声を裏返した。死んだはずの男から荷物が届くなんてありえない。

「荷物の中身は外見でわかるっしょ！」

軽い調子で言って、宅配業者の男はラッピングされた鉢植えを掲げて見せた。

ともかく荷物が届いた事をジェイムズに報告するため、コナン達は彼のいる駐車場へと向かった。

ラッピングをほどくと、出てきたのは、細い茎が真っ直ぐに伸びた華奢な植物だ。紫色の小さな花が咲いている。

「コロンバイン…」

鉢植えの花を見て、ジェイムズがつぶやいた。

「日本では『おだまき』と呼ばれている花だな…。これを組織が私に？」

「ええ…昨夜、拳銃自殺した組織の仲間の名を依頼主の名前に使っていましたから、間違いありません…。一応、病院に来た人の手荷物は警備員を装って全てチェックしていたんですが、さすがに宅配の荷物の中身までは…」

「しかしなぜこんな花を私に？」

ジェイムズは戸惑って、鉢植えの花を眺めた。

「コロンバインはコロラド州の州花だが…」

「必ず手に入れる!!」

コナンが突然口をはさみ、ジェイムズは「え？」と顔を向けた。

「その花の花言葉だよ！　それの他に『断固として勝つ』って意味もあるけど…」

「…宣戦布告ですかね？」

赤井はどこか楽しそうに笑みを浮かべているが、ジェイムズの表情は硬い。

「ああ…そのようだな…」

その時、ジェイムズの背後でキッと車が停車した。

「おいしっかりしろ!!　今、病院に着いたから!!」

ぐったりとした女の子をおんぶした父親が飛び出して、必死に声を掛けながら病院の中へと走っていく。

そうしている間にも、他にもすごい勢いで何台もの車が入ってきて、駐車場はあっという間に満車になってしまった。ゲホゴホと咳をしている人、「う〜〜気持ち悪い…」とうめきながら抱えられている人——みな、具合が悪そうだ。

「さっき見た火事の被害者かしら…」

ジョディがつぶやくと同時に、『こちら正面玄関のマイヤー！』とジェイムズの無線機に配置につく仲間から連絡が入った。

「ジェイムズだ！　何かあったのかね？」

『そ、それが…病院の玄関口にケガ人や病人が殺到していて、とてもチェックしきれません!!』

「なに!?」

ジェイムズは、思わず無線機を握りしめた。

スピーカーの向こうからは、ワァワァとたくさんの人の騒いでいる声が聞こえてくる。どうやら、かなり大量の患者が集まっているらしい。

『ケガ人達の話によると、この近辺でほぼ同時刻に3つの事故が発生したらしくて……』

「3つの事故が同時にか!?」

『ええ…集団食中毒に異臭騒ぎに火事です！』

玄関口は患者であふれ、パニック状態のようだ。

ジェイムズは通話を終えると、「組織の仕業か…」とつぶやいた。

「でも異臭騒ぎと火事は時間を合わせて起こせますが、食中毒は潜伏期間に個人差があって…」

「恐らく、それに似た症状の出る毒薬を使ったんだろう…他の2件と同様に、被害を死者が出ない程度に設定し、より多くの患者がここに駆け込むようにな！」

ジョディの疑問に、ジェイムズが冷静な口調で答える。しかし、その表情には焦りの色が浮かんでいた。

「しかも3件共、被害にあった人の病状は、火事で火傷を負った人を除けば、吐き気などの体調不良もしくは喉や目の傷みを訴えるという、見た目には判断しづらいものばかり…」

「つまり、事故の被害者を装った組織の仲間を病院内に大勢紛れ込ませる事は…容易に出来るわけですね!!」

「狙いはやはり水無怜奈の病室の捜索だな…」

「ええ…人海戦術でしらみ潰しに調べ回れば恐らく短時間で…」

ジェイムズとジョディが口々に推理するが、赤井は「いや…」と低い声でつぶやいた。

「それは無い…それだけ大量に仲間を送り込み、そんな不審な行動をさせれば、我々FBIに捕まる恐れのある仲間の人数も跳ね上がる…。そんなリスクを負うような奴らじゃないさ…」

「え？　じゃあこの騒ぎは…？」

ジョディが困惑してつぶやく。赤井は「ああ…」とうなずくと、背後で黒煙を上げて燃える映画館の方を見やった。

「狙いは恐らく…別の何か…」

カチコチ……

その時、歯車が動くような小さな音を聞きつけ、コナンは「ねぇ」とジェイムズに声を掛けた。

「さっきから音してない？　その植木鉢…」

「え？」

「しかもその音…だんだん大きくなってるよ…」

ジェイムズは植木鉢を持ち上げて耳に近づけた。

カチコチカチコチ……

植木鉢から聞こえてくる音は、どんどん音量を増しているようだ。

「い、言われてみれば確かに…」

「ゆっくりと地面に置いて離れるように…」

赤井に言われた通り、ジェイムズが植木鉢をそっと降ろす。

赤井は植木鉢の周囲を軽く調べると、コロンバインをザッと引っこ抜いた。すると、土の中に、ビニール袋に入った何かがある。ガボッと引き出してみると、手のひらほどの大きさの機械にアナログ時計がつながれていた。

時計は、カチコチ、カチコチと音をたてて時を刻んでいる。

「ば、爆弾!?」

ジョディが目を見開く。

「鉢の中身は調べなかったのかね？」

ジェイムズに険しい視線を向けられ、ジョディは「す、すみません…」と謝った。

「花の方ばかりに気を取られていて…それに…」

「この鉢に爆弾なんか仕掛けても、捜査官を数人殺すだけ…。爆発の騒ぎで日本警察が来れば、水無怜奈の捜索どころじゃなくなり…奴らにとってメリットはゼロ…。そう踏んでたんだろ？」

赤井がジョディの言葉を先読みして言う。ジョディは控えめに「ええ…」とうなずいた。

「とにかく、その爆弾を何とかせねば…」

ジェイムズが爆弾に視線を移す。

「見たところ、トラップだらけで解体には時間がかかりそうなので…人気のない場所に運んで爆発させてしまうのが無難でしょう…」

赤井が爆弾の形状を確認しながら言った。

「この時計が正確なら…あと31分14秒後に爆発するはずですから…」

「じゃあスマンが赤井君、頼む…」

ジェイムズに頼まれ、赤井が「ええ…」とうなずく。

しかしジョディがすかさず口をはさんだ。

「いや、秀一はここに残って！　私が行きます！　ここから7キロ先にゴミ処分場がありますから、車でそこに!!」

「だったら私のベンツを使うといい！」

ジェイムズは早口で言うと、スーツのポケットから車のキーを取り出してジョディに差し出した。爆弾が爆発するまでは、あと三十分しかない。早く出発しなければ。

と、その時――。

「はたして時間内にたどり着けますかねぇ？」

悠長な口調で横やりを入れた男がいた。アンドレ・キャメルだ。

「3つの事故が同時に起こったせいで主要道路は大渋滞…30分じゃかなりキツい…。まあ、この近辺の道に詳しい私のようなナビがいれば話は別ですけどね…」

「ちょっとあなた！　持ち場を離れて何やってるの？」

ジョディが咎めるが、キャメルは悪びれずに肩をすくめた。

「この病院に押し寄せたケガ人達からも大渋滞の事を聞いたんで、報告に来たんですよ！　私の持ち場はこのそばでね…直接伝えた方が早いと思いまして…」

「話をしている時間はない！　早く君達で爆弾を！」

ジェイムズにせかされ、ジョディとキャメルは「了解！」と声をそろえた。


「引っ掛かりますね…」

走っていくジョディとキャメルの姿を見送りながら、赤井がつぶやいた。

「ん？　今のキャメル君かね？　確かに好感の持てる顔立ちとはいえんが…」

ジェイムズがさりげなく酷い事を言う。

「いや、爆弾の方ですよ…。わざわざ時計を見えるように設置し、しかも徐々に音を大きくしてその存在を我々に気づかせようとしている…」

「それに、爆発まで30分以上あったのも怪しいよね？」

コナンも、赤井に同調して言った。

「まるであの爆弾に気づいたＦＢＩの人達が、遠くに持って行って爆発させやすいように時間を取ってくれたみたい…」

確かにその通りだ。ジェイムズは、おののいて息をのんだ。

「じゃあ何なんだあの爆弾は⁉　組織は一体何をしようとしているんだね⁉」


車で病院を出たジョディだったが、キャメルの指示に従って道を選んだところ、すぐに渋滞に巻き込まれて動けなくなってしまった。

「ちょっとー…本当にこの道がゴミ処分場への近道なの？」

運転席のジョディが、疑うように振り返る。キャメルは両手で爆弾を抱えて、後部座席に座っている。

「変ですねぇ…2年前は空いてたはずなんですが…」

「2年前って…？」

「それより後ろのトランクに時計でも入れているんですか？　さっきからカチコチうるさいんですが…」

「ええっ⁉」

ジョディが血相を変えて叫ぶ。トランクの中にも爆弾があるのだとしたら、一刻も早く回収しなければ。

「そーいう事は…早く言ってよね！」

ぶつぶつ言いながら、ジョディは車を降りた。

「……」

キャメルは後部座席に座ったまま、車のトランクへと回るジョディの方をじっと見つめている。

ジョディはトランクを開けたが、そこには何も入っていなかった。

「ちょっとちょっとーっ！　時計なんか入ってないじゃない!!」

カチコチいう物音はキャメルの勘違いだったのではないだろうか。ジョディは後部座席の窓をコンコンとノックして、声を掛けた。

「ねえ、本当にそんな音聞こえるの？」

しかし返事がない。中をのぞき込むと、後部座席には誰も座っていなかった。

(い、いない!?)

「早く乗らないと置いて行きますよ…」

ジョディははっと顔を上げた。キャメルはいつの間にか、運転席へと移動している。

「な⁉　何であなたが運転席にいるのよ⁉」

「裏道を口で説明するのは面倒ですし…私の方がウデがありますから…。それに時間もあまり…残っていないようですしね…」

そう言うと、キャメルは助手席に置いた爆弾の方をちらりと見た。確かにもう時間がないし、キャメルは運転席から動く気がなさそうだ。

ジョディは仕方なく助手席に座り、爆弾を膝の上に抱えた。

「じゃあ何？　トランクの時計の音は嘘だったわけ？」

「ええ…嘘も方便ってね…」

そう言うと、キャメルはガコッとギアを操作した。

車は急な角度でブオッと右に曲がり、中央分離帯へと乗り上げる。

「ちょっ…」

ジョディが止める間もなく、車はあっという間に反対車線へと入ってしまった。

「わっ」

車線を正しい向きで走って来た車の運転手が、悲鳴をあげてブレーキを踏んだ。彼にとってキャメルの車は、突然現れた逆走車以外の何ものでもない。

「しっかり持っててくださいよ…」

そう言うなり、キャメルはすごい速さで車を後退させた。

ギュオオオオ！

タイヤを軋ませながら車の向きを変える。危険な状況でのUターンを難なくやってのけ、キャメルは一気に加速してさっきまでとは逆方向に車を走らせ始めた。自分で「ウデがある」と言うだけあって、キャメルの運転技術は常人離れしているようだ。

「ちょっと、ゴミ処分場は逆方向よ！」

「そこは時間的にあきらめました…」

キャメルはハンドルを握ったまま冷静に答えた。

「要は人がいない所ならいいんですよね？」

その頃、杯戸中央病院は患者であふれて収集がつかなくなっていた。

「早くこの子を診てやってくれよ!!」

「バカヤロォ、こっちが先だ!!」

子供を抱えた親達が、あちこちで言い争っている。人が多すぎてなかなか受付に近づけず、宅配業者は荷物を抱えたまま困ったようにウロウロしていた。

「ねえ…宅配業者の人…」

コナンがつぶやくと、赤井も宅配業者の数に気づき「やけに多いな…」とうなずいた。

もしかして、また爆弾が届いているのではないだろうか。

荷物を調べるため、赤井は偶然を装って宅配業者の一人にぶつかった。

「わっ!」

宅配業者は、思わず荷物を落としてしまう。

「あっと失礼…すみませんねぇ…」

しらじらしく言いながら、赤井は落ちた荷物を拾った。コナンと一緒にさりげなく差出人を確認すると、そこには——。

コロンバインの鉢植えと同じように、荷物は楠田の名前で送られていた。

（楠田…陸道!!）


ジョディが抱えた爆弾の爆発時刻は、刻一刻と迫っている。

無事に、爆弾を処理出来るだろうか——緊張して身体をかたくしていると、病院の駐車場で待機しているジェイムズから、状況確認の電話が掛かってきた。

『ジョディ君、そっちはうまくいったかね？　そろそろ爆発の時間だが…』

「そ、それが…キャメル捜査官にハンドルを取られてしまって…」

キャメルは、狭い道路を強引に進んで、車を走らせていく。やがて、車が高架下を走る道路に差しかかると、運転席のボタンを押して車のルーフを開けた。

「な、何？　屋根なんか開けて…」

ジョディの質問には答えず、キャメルはハンドルから手を離した。その場に立ち上がり、ジョディの膝の上の爆弾に手を伸ばす。

「ハンドル…お願いしますよ…」

「え？」

ジョディは慌てて助手席から腕を伸ばし、ハンドルを握った。

車は高架下をくぐり抜け、川の上に架かる橋へと差しかかるところだ。

ブン！

キャメルが、爆弾を川に向かって勢いよく放り投げた。

爆弾が、ドボッと川に沈んだ数秒後……

ドォン！

轟音と共に、水柱が上がった。川の中で爆弾が爆発したのだ。

『何だね、今の音は？』

電話口の向こうのジェイムズが聞く。ジョディは慌てて、つなぎっぱなしだった携帯電話を耳に当てた。

「あ、はい！　たった今爆弾を処理しました！」

『おお、よくやったジョディ君！』

「あ、いえ、褒めるならキャメル捜査官を！」

ジョディは運転席のキャメルに視線をやりながら言った。

「彼の運転技術がなかったら…どうなっていたか…」

無事に爆弾を処理することが出来て、ジョディはほっとしているようだ。キャメルの運転技術を素直に評価してもいるらしい。その事を察したキャメルは、まるで悪だくみをしているような表情でニヤリとほくそ笑んだ。

しかしジョディは、キャメルの表情の変化には気づかず、ジェイムズと通話を続けている。

「それより、そっちはどうなっています？」

『赤井君とコナン君が、組織がやろうとしている事の糸口を見つけてくれたよ…。どうやら組織は宅配業者を使って、私の他にも届け物をしているようだ…。私の時と同じく依頼主を楠田にし…大勢の患者に見舞いの品を装った花や果物や玩具を手当たり次第にな…』

「…そういえば、楠田陸道はナースステーションの患者の名前と病室が書いてある表示板を、写真に撮っていたから…」

『多分組織は、彼から送られて来ていたその写真で、宛先を指定しているんだろう…』

ジョディははっと息をのんだ。

「じゃあ、その届け物の中身はまさか…」

『ああ…』

ジェイムズの声が、緊張にこわばる。

『今、赤井君に調べてもらっているが、ひょっとすると私の時と同様に…』


その頃、赤井は、荷物を受け取った患者の病室を順番に訪ねていた。

コンコンと扉をノックし「すみません…警備の者ですが…」と関係者を装って病室の中へと入る。

「今、看護師さんが宅配の荷物を持って来ましたよね？」

「あ、はい…果物カゴを…」

そう言って、入院中の患者が大きな果物カゴを赤井に見せた。

「楠田っていう人からじゃありませんか？」

「ええ…でも覚えがないんですよ、その名前に…」

「ちょっと失礼…」

赤井は果物カゴの包装をビリッと破り、カゴの中を調べた。すると案の定、底の方に時計のようなものが仕込まれいた。鉢植えに仕掛けられていたものと違いこちらはデジタル式だが、おそらく爆弾だろう。

（やはり爆弾か……）

「何なんですか、それ？」

カゴの中から不審物が出てきたのを見て、患者はすっかり不安そうだ。

「盗聴器ですよ！　これを使った新手の振り込めサギがはやっていましてね…」

赤井はそう言ってごまかすと、爆弾を持って駐車場へと向かった。


赤井は駐車場でジョディやジェイムズ、コナン達と落ち合い、爆弾を発見した事を報告した。

「ば、爆弾⁉　やっぱり見舞品の中身は爆弾だったのね⁉」

すでに病院にはたくさんの荷物が届いている。全てに爆弾が仕掛けられているとしたら、回収するのにはかなりの時間がかかるだろう。

「ああ…これ1個だと、病室1つをふっ飛ばす程度のプラスチック爆弾だが…これが数十個同時に爆発すれば…この病院は間違いなく倒壊する…」

　赤井が冷静に言う。

　ジョディは最悪の事態を想像して「そ、そんな…」とつぶやいた。

「まあ、幸いだったのは爆発の時間が午後5時で、あと4時間もある事と、爆薬本体に刺さった信管を取り外せば爆弾として機能しないという事だが…」

　そう言うと、ジェイムズは視線を落として続けた。

「病院側が宅配業者から受け取った届け物はほぼ配り終わっていて、その数は60個近くあるそうだ…」

「なるほど…だから組織は病院を怪我人や病人であふれさせたんですね？」

　ジョディが深刻な顔で言う。

「1つの宅配業者が一度に大量の荷物を持って来ればかなり目立って怪しまれるけど、複数の業者に荷物を分散させ、しかもこのパニックに紛れて届けさせれば、受け取る病院側もいちいち怪しんでられないから…」

「とにかく残り4時間！　捜査官を総動員して全ての病室に行き、覚えのない荷物を受け取っていないかをチェックし、爆弾を回収してくれ！」

ジェイムズがきびきびと指示を出す。ジョディは「はい！」とうなずくと、同じように駐車場に集まっていたFBI捜査官達と共に爆弾の回収に向かった。

「しかしこうなるとかなり厳しいな…」

ジェイムズが、隣にいる赤井に向かって言う。

「組織は水無怜奈を奪還しに来るとばかり思っていたんだが…」

「ええ…まさか最初からその命を絶ち…口を封じる腹積もりだったとは思っていませんでしたよ…」

赤井はどこか釈然としていないような口ぶりで言うと、足元にいるコナンに「なあボウヤ…」と声を掛けた。

「うん…そだね…」

コナンも同じく釈然としないようで、あいまいにうなずいた。


「あ、警備の者ですがちょっといいですか？」

「不審物のチェックです！　ご協力を！」

ＦＢＩ捜査官達はそれぞれ病室をまわり、爆弾を回収していった。

ジョディも小さな子供のいる病室を訪れ、クマのぬいぐるみを受け取った。

「ごめんねボク…すぐすむから…」

クマの背中には妙な縫い目があり、開くと中にはやはり爆弾が入っていた。患者達を不安にさせないよう、体で隠しながらこっそりと爆弾を抜き取る。

するとテレビを観ていた子供が、「あーＴＶのお姉さんだー！」と声をあげた。

「え？」

ジョディが顔を上げると、映っているはずのない顔が画面に映っていた。

『視聴者の皆さん、ご心配かけて申し訳ありませんでした…』

「あら水無怜奈じゃない！　最近TVで見ないと思ったら入院してたのね…」

子供の母親が言う。水無怜奈は入院中のようで、入院着を着たままベッドの上で『この通り怪我もすっかり治りましたので…』とインタビューに答えていた。

ジョディは驚愕して、目を見開いた。

（ウソ⁉　どうして⁉）

水無はいつの間に目を覚まして、テレビ局と連絡を取ったのだろうか？

『明日からまた仕事に復帰します‼　よろしくお願いしますね！』

水無怜奈が意識を取り戻し、テレビに出演している——。

その事に気がついたFBI捜査官達は、大慌てで水無の病室へと向かった。

「なに⁉　水無怜奈がTVに出てる⁉　それは本当に彼女なのか⁉」

駐車場にいたジェイムズはテレビを見る事が出来ず、部下からの報告を受けて驚いていた。

『は、はい…。ロビーや病室にあるTVに映っているんです！　病室からの映像で、入院着を着たまま「ケガはもう完治した」と…。水無怜奈の病室からそちらに何か連絡は入ってないんですか？』

部下の男に聞かれ、ジェイムズは「いや…」と否定した。

「彼女の病室には3名張り込ませ、その内の1人が5分ごとに屋外に出て、状況を私に報告させていたんだが…」

『そちらから病室に連絡は取れないんですよね？』

「ああ…点滴の輸液ポンプは電波で誤作動を起こしやすいから、携帯電話も無線も絶対に電源を入れるなといってあるんでな…。とにかく彼女の病室へ行き、その真偽を確かめてくれ！」

『ええ！　みんなそう思って、もう向かっています！』

ジェイムズと部下とのやり取りを聞きながら、コナンは「………」と引っ掛かりを覚えた。

次の瞬間、ピンときて、赤井と顔を見合わせる。赤井も、コナンと同じ事に気づいたようだ。

（なるほど…それが狙いか!!）

「各ブロックのリーダーさんに伝えて！　水無怜奈の病室に行くなって!!」

コナンはすごい剣幕で、ジェイムズに訴えた。

「え？」

「もう手遅れでしょうけど…」

赤井が、冷静に状況を分析して言う。

「て、手遅れって…まさか本当に組織はもう彼女を…」

最悪の事態を予想して、ジェイムズは声を震わせた。

ジョディは廊下を走り水無の病室へと向かっていたが、途中で廊下を歩いていたキャメルに出くわして足を止めた。
「ん？　どうかしたんですか？」
「水無怜奈がＴＶに映ってたから確認に…あなた観てないの？」

「ええ…私が回った病室の患者はTVをつけていなかったもんで…」

キャメルは、やけに落ち着いた口調で答えると「それに」とつけ加えた。

「我々増員組には彼女の病室をまだ知らされていないので…確認しようにも行きようが…なんなら私も行きましょうか？」

「いや、あなたは引き続き爆弾の回収を！　あと10個近く残ってるはずだから…。頼んだわよ!!」

そう言い残して、ジョディは再び走り出した。

キャメルが「了解…」とつぶやくのを背中で聞き流し、病室へと急ぐ。

水無怜奈の病室の前には人だかりが出来ている。すでにたくさんの捜査官が集まっているようだ。

「ねえちょっと！　彼女、どーなってるの？」

病室へと入ったジョディの目に飛び込んできたのは、ベッドの上で眠り続ける水無の姿だった。テレビ取材を受けるどころか、目を覚ましてもいない。

ジョディは拍子抜けした。

「何だ…いるじゃない…。じゃあ何だったの？　さっきのTV…」

「踊らされてたんだよ、FBIは…。奴らの――手の平で…奴らの思い通りにな…」

いつの間に病室に入ってきたのか、ジョディの背後で赤井が冷静に言った。隣にはコナンの姿もある。

「お、踊らされた？」

うろたえるジョディに、コナンが説明した。

「さっきのTVの映像は前に彼女が爆発事故に巻き込まれ、ケガをした後の番組復帰のコメント映像に、入院着とバックの病室を合成したモノ…。ボク、この前彼女の大ファンのおじさんの家でそれを録ったビデオを観せてもらったから、間違いないよ!!」

「でも、何で組織は、そんな映像をわざわざ電波ジャックまでして流したのよ？」

「FBIの人達をここに集めるためさ！　病院内で携帯電話や無線を使わないのを見越してね！」

「だから、私達をここに集めて一体何を？」

ジョディがじれったそうに質問を重ねると、コナンの代わりに赤井が答えた。

「さっきまで探し回っていただろ？　奴らが病院内にバラまいたオモチャ…今どこにある？」

「ああ…爆弾なら信管を外してポケットに…回収したらすぐ別の部屋に調べに行かなきゃいけないから…――って…」

上着のポケットから爆弾を取り出したジョディの手が、ぴたりと止まった。

「まさかこれに!?」

「ああ…そのオモチャに付けられていたんだよ…」

コナンが、低い声で言った。

「厄介なオマケがね…」


ジンとウォッカは、病院の近くの道路を車で走っていた。

助手席に座ったジンの膝の上には、ノートパソコンが開かれている。画面には病院の見取り図が表示され、小さな点が廊下を移動して、とある病室に次々と集まっていた。

「ククク…まるでゴミに群がるハエのようだ…どんどん集まって来てますぜ…」

ウォッカが運転席から身を乗り出し、パソコンの画面をのぞき込んでニヤつく。

「第4病棟の307号室ってトコですかねぇ…」

「ああ…」

ジンが冷静にうなずく。

どうやらジンとウォッカは、すでに水無の病室を特定してしまったようだ。

「病室がわかっちまえば、こっちのモンですぜ兄貴！」

ウォッカが声を弾ませるが、ジンは「フン…」と鼻を鳴らした。

「キールの檻の場所なんざ、最初から眼中にねぇよ…」

「え？」

「要は、その場所を我々に知られたと覚らせ、FBIの脳天に恐怖の楔を打ち込む事だ…」

そう言うと、ジンはギラついた目を見開いて冷たくつぶやいた。

「後は急いたFBIが…どう飛ぶか…」

組織の罠にまんまとはまっていた事に気がついて、ジョディはすっかり驚愕していた。

「発信器!!　爆弾に発信器が取り付けられていたのね!!」

「ああ…」

赤井がうなずく。

「つまり爆弾付きの植木鉢を私に送りつけたのも、3つの事故を同時に起こし、この病院をパニックにしたのも、その騒ぎに乗じて病院内に大量の爆弾を配送したのも…全てその発信器でこの水無怜奈の病室を突き止めるためだったというわけだよ…。最初の植木鉢でいかにも爆弾で攻めて来るように臭わせ、配送された爆弾の数の多さを知り、焦って回収した我々が、先程の水無怜奈のTV映像でここに駆けつけるようにな!」

ジェイムズが状況を整理して言うと、捜査官達は愕然とした。

「じゃあ組織はもう…」

「ああ…ここを睨んで笑みを浮かべながら次の手を打っている所だろう…」

「ど、どうします?」

部下に判断を仰がれ、ジェイムズはすぐに決断した。

「こうなればここに長居は無用！　これより、今朝話した最終手段を取る!!　３台の車に分乗し、組織を攪乱しつつ、この病院から脱出するんだ!!　囮の車に乗る捜査官は組織をできる限り遠くまで引き付けるように！　誰がどの車に乗るかはジョディ君から聞いてくれ！」

「ねえ、ボクの知り合いのおじさんのビートルに乗せて運ばない？」

コナンが提案した。ビートルを持っている知り合いとは、阿笠博士の事だろう。

「え？」

驚くジェイムズに、コナンはさらに説明した。

「後部座席なら寝かせられるし…。その悪い人達はきっとストレッチャーが乗せられる大きい車で運ぶって思ってるだろうから、絶対にバレないと思うよ!!」

「そ、そうかもしれないけど…」

ジョディが言うと、コナンはすかさず携帯電話を出した。

「じゃあボク、外に出て電話で呼ぶね！　すぐに来てくれると思うから…」

廊下に出ようと踵を返すが、赤井にスッと携帯電話を取り上げられてしまう。

「あ…」

「いくらボウヤでも…そいつは出来ない相談だ…。これは我々ＦＢＩの仕事…これ以上一般市民を巻き込むわけにはいかん…」

そう言うと、赤井は取り上げた携帯電話をコナンに返した。

「あ、でも…」

コナンは何か言いたげだったが、赤井に「後は我々に任せるんだ！」と強い口調で遮られてしまった。

ジェイムズが改めてＦＢＩ捜査官達を見回して、仕切りなおす。

「では、まずは各自回収した爆弾から発信器を見つけ、それを潰してから…」

「いや…潰すのは私の話を聞いてからにして頂きたい…」

赤井が言い、ジェイムズの顔がキョトンとなった。赤井は目を細め、強気に微笑して続ける。

「今のボウヤの言葉で思いついたんですよ！　奴らの目を晦まし、水無怜奈をここから連れ出す妙策を！」

赤井の言う『妙策』を聞いたFBI捜査官達は、みな顔を輝かせた。

「た、確かに…。それなら奴らを欺けるかもしれんな！」

と、ジェイムズも希望を感じているようだ。

「まあ、そう願いたいところですが…」

赤井の作戦は、コナンの言葉を聞いた事によって思いついたものだ。ジョディはかがんでコナンの顔をのぞき込み、「いつもいいヒントありがとね、コナン君！」とお礼を言った。

「うん！」

コナンが得意げにうなずく。

赤井の作戦は組織を欺ける可能性が高いが、それでも100%というわけではないし、危険が伴う事に変わりはない。ジェイムズは表情を引き締めて、捜査官達の顔を見渡した。

「問題は、水無怜奈を乗せた車を誰が運転するかだが…」

「そうですねぇ…万が一奴らにバレ、振り切らねばならない局面に陥った時の事を想定すると…臨機応変に行動でき、この周辺の地理に明るく、なおかつドライブ技術を備えた人物…」

「それは赤井君！　君しかいないだろう…」

ジェイムズが言うが、赤井は「いや…」と消極的だ。

「私は避けた方がいい…奴らが真っ先にチェックするのは、私がどの車に乗っているかでしょうから…」

「…となると…」

ジェイムズが、あごに手を当てて考え込む。

すると、アンドレ・キャメルがスッと右手をあげて立候補した。

「ここはやはり…私でしょうかねぇ？」

「おお！　爆弾処理の時に活躍してくれたキャメル君か！」

キャメルの運転技術の高さは、ジェイムズもすでにジョディから聞いて知っている。

「私も彼なら適任だと思います！」

と、ジョディもキャメルを推薦し、運転手はキャメルに決まった。組織の狙う水無を直接運び出す役割を務めるのだから、大仕事だ。

「Fear of death is worse than death itself…。死の恐怖は死そのものより人を悩ます…」

流ちょうな英語で、格言めいた事を口にすると、赤井はキャメルに「臆するなよ…」と忠告した。

「ええ…もとより死は覚悟の上…どーせ死んでも悲しんでくれる家族はいませんしね…」

キャメルが冗談めかして答える。

「ではさっそく準備にかかってくれ！」

「了解！」

ジェイムズに送り出されキャメルが病室を出ていこうとするが、ジョディはキャメルの言った言葉に（え？）と違和感を覚えていた。

以前、正面玄関に立っていたキャメルにジョディが声を掛けた時、彼は確かにこう答えたのだ。

――アンドレ・キャメルです！　ちょっと妻から電話が入って…。

妻がいるのだとしたら、「死んでも悲しんでくれる家族はいない」と口にするのはおかしい。彼は、嘘をついているのだろうか。

「あ、あの…」

ジョディは、ジェイムズと共に出ていくキャメルを呼び止めようとした。

「ん？　何だね？」

ジェイムズが振り返り、キャメルも足を止める。

しかし、キャメルについてどう伝えたものかジョディはとっさに言葉を出す事が出来ず、

「あ、いえ…」と言葉を濁してしまった。

「がんばって…」

そう言ってごまかすと、キャメルは「ええ…」と陰気にうなずいて、また歩き出した。

「………」

去っていくキャメルを怪しみながらも、ジョディは黙って見送った。

ジョディだけでなくコナンも、キャメルに険しい視線を向けていた。

「そんな顔をするな…」

赤井に声を掛けられ、コナンがはっとして表情をゆるめる。

「この作戦の成功は必然だ…。それとも俺の保証だけじゃ…不安かな？」

微笑みかけられ、コナンは戸惑い気味に「いや…全然…」と答えた。


水無怜奈の移動に使うのは、ダークブルーの巨大なバン三台だ。

ジェイムズは駐車場で、ぽんとキャメルの肩をたたいて任務に送り出した。

「じゃあキャメル君、任せたぞ！　成否の鍵は君が握っているんだからな！」

「ええ！　わかってます！」

「成功した暁には、一杯おごらせてくれよ！」

そう言って去っていくジェイムズに、キャメルは「はい、楽しみに…」と言葉を返した。

ジェイムズが遠ざかるのを待って運転席のドアに手を掛け、中に入ろうとする。すると突然、声を掛けられた。

「まって！」

ジョディだ。さっきの発言でキャメルを怪しみ、問いただしにきたらしい。

「その車、やっぱりあなたには任せられないわ！　私と交代してくれる？　ルートは把握してるから…」

意外にもキャメルは逆らわずに車の鍵を差し出した。

「私は構いませんが…後で怒られても知りませんよ？」

「そんな事より、二三質問に…」

ジョディが鍵を引ったくる。と同時に、キャメルの拳がジョディの腹にめり込んだ。

ジョディは息をのみ、そのままキャメルにもたれかかるように、ぐったりとして気を失ってしまった。

キャメルの他に二人の運転手がそれぞれバンに乗り込み、いつでも地下駐車場から出ていけるよう、縦一列に整列して停車した。

「1号車、2号車、3号車！　全て準備整いました!!」

男性捜査官が、ジェイムズに報告を入れる。いよいよ作戦開始だ。

「ウム！　では、これより水無怜奈を連れてこの病院から脱出する！」

ジェイムズが勇ましく宣言した。重要任務の開始だ。

「3台共、指示通り別々のルートを走行し、囮の2台は出来る限り組織の目を、水無怜奈を乗せた車から遠ざけてくれ！　なお、通信回線は開けたままにし、何かあればすぐに私に連絡するように！」

運転手達は「了解!!」と口をそろえた。

一号車から順番に、駐車場を出ていく。キャメルの運転する三号車は、最後だ。

「そういえばキャメル君！」

出発間際、ジェイムズが運転席のキャメルに声を掛けた。

「はい？」

「ジョディ君がどこにいるか知らないかね？　君に会いに行くと言っていたそうだが…」

「ええ…10分程前に来ましたよ！　何でも私の車を護衛するいい方法を思いついたとかで…。

安心してと言い残して、先に車で出て行きましたけど…」

キャメルが答えると、ジェイムズは眉をひそめた。

「おいおい、私に報告なしにかね？」

「きっと彼女も不安なんですよ…なにせ私の車は…水無怜奈を乗せている…当たりの車ですからね…」

キャメルがやんわりと言う。

しかし実はジョディは、駐車場内に停めてあるジェイムズからは死角になって見えない車の陰にいた。先ほどキャメルに腹を殴られたせいで、気絶したままだ。

一体キャメルは、何をたくらんでいるのだろうか？


病院から次々と出てくる三台のバンは、組織の人間にしっかり監視されていた。向かいのビルから、ライフルに付いたスコープを通して入り口を見張られていたのだ。

「来たよ！　来た来た!!　ダークブルーのバンが1台…2台…3台!!　どうやら3台で打ち

止めみたいだねぇ!!」

楽しそうにはしゃいで言うのはキャンティ。組織の一員で、凄腕のスナイパーだ。

『よォし…キャンティは1台目の車に張り付け！』

ジンからの指示を受け、キャンティは威勢よく「あいよ！」と返事をしてフルフェイスのヘルメットをかぶった。ビルから降り、バイクにまたがって車を追跡に向かう。

『コルンは2台目！』

続けて指示を飛ばされ、路上でバイクに乗ったまま待機していたコルンも「わかった…」と了解した。コルンも黒ずくめの組織の一員で、キャンティと同じくスナイパーだ。

ジンは、病院近くの地下駐車場に停めた車の中からキャンティ達に指示を飛ばしていた。すぐそばには、ウォッカがバイクと一緒に待機している。

「ウォッカ、お前は3台目だ！」

「了解しやした！」

ウォッカが、バイクのエンジンをかける。

「俺はこのまま病院周辺でＦＢＩを張る…今の3台が全て囮の場合もあるからな…それぞれ

目標の車を捉えたら例の方法で車の内側を探れ！」

連絡用のトランシーバーに向かってそう言うと、ジンは「どの車に絞るかは俺が決めてやる…」と冷酷に微笑した。

「そういや兄貴…連絡はあったんですかい？」

「いや…奴からの一報はまだない…。まぁ、あの方の命を受けての、念のための策だ…。俺は端から当てにはしてねぇがな…」

そう言うと、ジンはぷっつりと黙り込んだ。


三号車を運転するキャメルは、ジェイムズからの連絡を受けていた。

『キャメル君、状況は？』

「はい！　この車を追跡する不審な影はまだ見当たりません…」

答えながら、キャメルはミラー越しに車の後方をちらりと見た。黒ずくめの男が運転する怪しいバイクが、ぴたりとバンに張りついている。

キャメルは、バイクの存在にはっきりと気がついていたが、その事をジェイムズには報告せず、

「ええ…1人も…」

と、嘘の報告を終えた。

キャンティの運転するバイクも、一号車のバンに追いついていた。助手席側に並走しながら、ジンに報告を入れる。

「ジン！　1台目に張り付いたよ！」

『どうだ、様子は？』

ジンに聞かれ、キャンティは助手席側の窓に視線をやった。しかしスモークフィルムが貼られていて、中の様子は人影程度にしかわからない。

「サイドウインドウはスモークで中が見えないねぇ…」

『裸にしろ…』

「あいよ！」

キャンティは、足に付けたホルスターからサーモグラフィーを取り出した。片手に握れるリモコンほどの大きさの機械で、これで撮影すれば温度の高い場所と低い場所を探る事が出来るのだ。温度の高い場所には誰か人間がいる、という事になる。

キャンティはバイクの速度を器用に調整しながら、車内の様子をくまなく撮影した。

「撮影完了！　そっちに送るよォ！」

ジンはキャンティの撮影したサーモグラフィーのデータを受け取って再生した。人間のいるところは体温が感知されて、赤っぽく表示されている。一号車の中には、運転席と助手席に一人ずつ誰かが座っている。そして後部座席側には、複数の人間が寝そべった誰かを取り囲むようにして座っていた。
「サーモグラフィーで確認できる人影は…９人か…。爆弾に付けた発信器の位置ともほぼ符合しているな…」

発信器を持っているという事は、組織の送った爆弾を所持しているという事だ。つまり、彼らはＦＢＩである可能性が高い。

『見えるかい？　後部座席で寝そべってる人影！　それが水無怜奈じゃないの？　そいつだけ発信器の反応がないだろ？』

キャンティが推理するが、ジンは何も言わず「………」と押し黙った。

『俺も撮った…そっちに送る…』

『こっちも撮りやしたぜ！』

二号車担当のコルン、そして三号車担当のウォッカからも、サーモグラフィーのデータが送られてくる。ジンは順番に確認した。

「2台目のコルンが追っている車も、人影が9人だが…発信器はなし…。ウォッカが追っている3台目の人影は2人だけ…。発信器もその2人が持っているようだ…」

ジンは三号車のサーモグラフィーの画像を見つめたまま、腕組みをして考え込んだ。

『ホラ、早く決めなよジン！　あんまりじらすと…アタイの背中で熱り立ってるライフルが、勝手に暴れるよォ!!』

キャンティが、待ちきれないとばかりにジンをせかす。

三台の車はそれぞれ、乗っている人の数も発信器を持っている人の数も違う。爆弾を送った狙いがバレていないなら、発信器を持っている人間がFBI捜査官である可能性は高いだろう。ウォッカはそう考えたのか、ジンに『まあなんにせよ…』と提言した。

『俺が追ってる車は外してもよさそうですぜ…。人影と発信器の位置からするとFBIの2人のみ…。しかもこのまま行くとぐるっと回って病院に逆戻り……。完全に囮でしょうからねえ…』

その時ジンの車の中で、助手席に置いたトランシーバーから『お待たせジン…』と女性の声が届いた。ベルモットだ。

『やっと見つけたわ…赤井秀一の車！』

ベルモットは別行動で、赤井の車を捜していたらしい。ウォッカがジンに、まだ連絡はないのかと聞いていた相手はベルモットだったのだ。

「手間取ったな、ベルモット…あの方直々の命令なんだろ？」

『悪かったわね…こうなる事を読んで、彼、1キロ先の駐車場に車を停めていたから…』

ベルモットもキャンティやコルンと同じようにフルフェイスのヘルメットをかぶり、バイクに乗って赤井の車を追いかけている。

「それで？　赤井の位置は？」

『杯戸公園を抜けて今、米花町に入った所…』

ベルモットの報告を聞き、ジンはノートパソコンを操作して地図を表示させた。組織の人間の現在地が、小さな光の点滅でそれぞれ表示されている。

「1番近いのは、コルンが追っている2台目の車…。後方200mって所か…」

『じゃあコルンの車で決まりだよ!!』

ジンがつぶやくのを聞いて、キャンティが即座に言った。

『赤井が張り付いてんだからさ！』

赤井の運転する車に乗っているのは、彼だけではない。助手席にはコナンの姿があった。

(プラチナブロンドのロングヘアー…ベルモットだな!!)

コナンはサイドミラーを確認して、すでにベルモットの存在に気がついていた。ヘルメットからこぼれた金髪をなびかせて走るベルモットの姿は、よく目立っている。

「やっとお出ましか…」

赤井は、ベルモットが追いかけてくる事を予想していたようだ。ルームミラー越しに彼女の姿を確認すると、カコンとシフトレバーを操作した。

ズォ!!

車は車体をしならせながら、車と車の間の狭いスペースを器用に走り抜け、混雑した道を進んでいく。赤井の運転技術は、キャメル以上だ。

『すごい…抜きまくってる…』

神業のような赤井の運転を目の当たりにして、ベルモットは慌ててジンに報告した。

『あの調子だと1分足らずで2台目に届くわよ! コルンがマークしてる事に気づいたのね!!』

赤井が向かったという事は、水無がいるのは二台目なのだろう。キャンティはそう断定して、ジンにせわしなく告げた。

『当たりは2台目！　コースを変えて、アタイはコルンに合流するよ!!』

『んじゃ俺もコルンの所に…このまま囮に付き合っても埒、あきやせんし…』

ウォッカもキャンティにならって、コルンのマークする二台目のもとへ行く事にしたようだ。

『赤井来たら…俺、撃つ…』

コルンは赤井が来るのに備えて、背中に背負っていたライフルケースを降ろした。しかし、ジンは「待てコルン！」と制止した。

「脇道に入ってコースを変えろ！」

『何でさ!?』

コルンへの指示を聞いたキャンティが、不満げに喚く。赤井を始末する絶好のチャンスだというのに、脇道にそれろとはどういうつもりなのだろうか。

『赤井にビビってキールをあきらめろってーの？』

「いや…我々が追うべきは…ウォッカが追っている3台目…。キールはそこにいる!!」

『え？　どうして!?』

ベルモットが驚いて叫んだ。まさか三台目が当たりだなどとは、さすがのベルモットも信じられないようだ。

「あの赤井が派手に車をごぼう抜きして、護衛している車に目を向けさせるようなヘマはしねぇよ…。こいつは俺達を誘き寄せる罠だ…」

ジンの口調は確信に満ちていて、まるで赤井の事を知り尽くしているかのようだ。三台目に張りついているウォッカが、おずおずと聞いた。

『けど兄貴…俺が張り付いてる車は、後部座席は空で、前にFBIの奴らが2人しか…』

「確かに運転しているのはFBIだろうが…助手席に座っているのはキールだ！　キールはタンカで後部座席に乗っているモノと我々が思い込んでいると踏んで、あえて発信器を持たせ、助手席に座らせてFBIの捜査官に見せかけたんだよ！」

『でも、その3台目、また病院に向かってんじゃなかったかい？』

と、今度はキャンティが指摘する。しかしジンの返答はよどみなかった。

「それも決め手の1つだ…我々がキールの病院に気づいたとわかってもFBIがすぐに場所を移動させなかったのは、現状では、その病院しかアテがなかったって事…。つまり、どこかに移動させたと見せていけしゃあしゃあと同じ病院に舞い戻る算段だったってわけだ…。その病院を我々が二度と探す事はないと踏んでなァ!!」

ジンの推理は完璧だ。

組織の面々は一斉に、キャメルが運転する三台目のバンに向かって舵を切り始めた。

「なに!? 黒いポルシェとバイク4台が背後に迫っている!?」

キャメルからの連絡を受け、ジェイムズはすっかり血相を変えていた。

「まさか組織に気づかれたのか!?」

『ええ、恐らくは…』

応答するキャメルの声は、なぜか落ち着いている。

『でもまあ、あんな奴ら私のテクで振り切って…』

その時、助手席に座った水無が突然右腕を振り上げた。手に持った爆弾でキャメルをゴッと殴りつける。

「お、おい、どうしたキャメル君!? キャメル君!?」

物音を聞いたジェイムズが無線で必死に呼び掛けるが、キャメルの返答はない。気絶させられてしまったのだろうか。それとも、まさか……。ジェイムズの頭を、最悪の事態がよぎった。

運転手を失ったバンは、失速しながらふらふらと蛇行していく。目の前にはゆるやかなカーブが迫っているが、曲がりきれない。

ドガッ!

車は運転席がある右側を擦るようにして、ガードレールへと突っ込んでようやく停まった。

ジン達の運転する車やバイクが、次々とバンの手前で停車して様子をうかがう。

すると、バッと助手席の扉が開いた。中から飛び出てきたのは、水無怜奈だ。

「キール!!」

キャンティが呼びかける。

水無は右肩を押さえ、「イタタタ…」と顔をゆがませた。事故の衝撃か、怪我を負っているようだ。

「どういう事だ？　なぜ車が止まった？」

ジンが警戒しながら水無に問いただす。

「FBIの無線であなた達が助けに来たのがわかったから、隙を見て、持たされていた爆弾のケースで運転手を殴ってサイドブレーキを引いたのよ！」

「じゃあFBIに入院させられていたけど、意識はあったのね？」

ベルモットに確認され、水無は「ええ…」とうなずいた。

「2、3日前に戻ったわ…。FBIはずっと昏睡状態だと思ってたようだけど…」

「ほんじゃあキールも無事奪還できた事ですし、ズラかりやすか！」

ウォッカが明るく言う。しかしジンは冷めた表情のまま、運転席で気絶しているキャメルへと視線を投げた。

「ああ…こんな大役をたった1人で引き受けた…馬鹿なFBIを始末してからな…。殺れ…キャンティ…」

「あいよ！」

キャンティはうれしそうにライフルを構えた。スコープの標準を運転席のキャメルの頭に合わせ、引き金に指をかける。

「フン、恨むんなら…こんな間抜けな作戦を立てた…FBIの連中を…」

と、キャンティが引き金を引こうとした次の瞬間、突如バンの車内がカッと閃光に包まれた。


ドォン！

すさまじい爆風が巻き起こり、バンは激しく燃え上がった。

「ば、爆発!?」

「まさかあの運転手、信管抜かずにポケットにしまっていたんじゃ…」

ウォッカとキャンティが、口々に反応する。キャメルにも発信器の反応があったので、彼が爆弾を所持していた事は間違いない。

「もしかしたら、さっき車がぶつかったはずみに偶然信管がはまったのかも…」

キールが炎を見つめながら言う。

「………」

その隣でジンは黙りこくっていた。バンはもうもうと黒煙を上げて燃え続けており、容易には消火出来そうにない。

車で通りがかった人々は、事故に気づいて次々と騒ぎ始めていた。

「え？　何？　事故？」

「うわっ大変だ!!　救急車呼ばないと…」

人が集まってきそうな気配を察して、ウォッカが「ちっ！」と舌打ちする。

「野次馬連中が…」

「キールは俺の車に……。ズラかるぞ!!」

ジンの指示でベルモット達は一斉に乗ってきたバイクや車に乗り込み、あっという間に現場から立ち去ってしまった。


去っていく組織の人影を、燃え上がるバンの陰に隠れて見つめる人影があった。

キャメルだ。爆発に巻き込まれて事故死したように見せかけたのだ。それでも無傷とはいかなかったようで、あちこち煤で汚れ、キールに殴られた頭からは血が流れている。

キャメルは組織の人間が立ち去ったのを確認してから、携帯で電話をかけた。

「せ、成功しました…」

報告を受け取ったのは——赤井秀一だった。

「御苦労…よくやった…」

車の中でキャメルからの報告を受け取ると、赤井は助手席のコナンと視線を合わせ、フッと強気に微笑してみせた。


全ては、赤井とコナンが仕組んだ作戦だったのだ。

FBI達は、全てが終わり病院に戻ってからようやく、赤井にその事を打ち明けられた。

駐車場で気絶させられていたジョディも目を覚まし、赤井の話を聞いて目をむいて驚いた。

「えぇ〜!? 水無怜奈をわざと組織に渡したぁ〜!?」

「ああ…だからキャメルにドライブテクをアピールするように言ったんだよ…この病院から水無怜奈を連れて脱出する際の運転手として選ばれるようにな…。そしてその車を奴らに判別させ、彼女を奪還させてやったんだよ…」
平然と言うと、赤井は隣にいるコナンと視線を合わせた。
「そう…奴らがＦＢＩの策を読んで、まんまと出し抜いたと錯覚するように…このボウヤと
じっくり作戦を練ってな…」
「じゃあなーに？　このゴリラが私を殴って気絶させたのも、計画の内だったたってわけ⁉」
ジョディがいまいましげにキャメルを指さす。
焦るキャメルの代わりに、赤井が答えた。
「ああ…この作戦に支障をきたす人間は、全て黙らせろと指示を出した…。それに、今回は
運よく奴らの爆弾を使って水無怜奈を運んだ車を爆発させ、運転手が死んだかのように偽装
できたが、あれは車をドリフトさせてガードレールの切れ目に運転席のドアが来る絶好の位
置に車を止め、爆発のタイミングに合わせて脱出しなければ成功しない…」
爆発の直前キャメルは素早く運転席の扉を開けて、外に脱出していたのだ。
「ドライブテクもないお前に、そんな役をやらせるわけにはいかんだろ？」
そう言われては返す言葉がなく、ジョディは不満げに唇を引き結んだ。

「し、しかし…水無怜奈は組織につながる唯一の糸…その彼女を何でむざむざ組織に…」

ジェイムズが、合点がいかないという顔で聞く。赤井は上司であるジェイムズにすら、作戦の事を黙っていたようだ。

「昨夜彼女と契約を結んだんですよ…。ただの糸ではなく、ＦＢＩの釣り糸になってくれと…。このボウヤの策略に…乗せられてね…」


赤井とコナンが水無と契約を結んだのは、昨晩、水無の病室を訪れた時の事だった。

「そろそろ休め…夜は長い…」

そう言って、見張りをしていた男性捜査官を追い払った時、実はすぐそばにコナンもいたのだ。目を閉じてベッドの上に横たわる水無と対峙して、コナンは赤井にこう聞いた。

「それで？　どうする赤井さん…イチかバチかのこの大勝負…乗ってみる気ある？」

「もちろん…」

赤井の答えを聞いたコナンは、病室の扉をコンコンとノックした。

「んじゃあ、まずは…眠り姫を起こす王子をここへ…」

そう言うと、蝶ネクタイ型変声機で声色をＦＢＩの人間に似せ、『赤井さん！　緊急召集です‼』と声を出す。

「作戦会議か？」

『ええ…』

「良策があるんならいいんだがな…」

コナンの声と会話しながら、赤井は病室を出ていく。瑛祐が物陰からこちらの様子をうかがっている事に、赤井もコナンももちろん気づいていた。この芝居は、彼に会話を聞かせて、瑛祐を病室に招き入れるためのものだったのだ。

二人の読み通り、瑛祐は水無の病室へと入ってきた。

「おい、起きろよ水無怜奈…。お前が起きないと…瑛海姉さんが今どーなってるか聞けないじゃないか‼　おい、起きてくれよ‼　お前、またどっかに連れて行かれちゃうんだろ⁉

その前に目を開けてくれ‼　開けろって…いってん…だろ⁉」

そう言って、瑛祐はハサミを振り下ろそうとする。

水無は目を開き、瑛祐の手首をパシッと受け止めた。

「ダメよ…瑛ちゃん…。言ったでしょ？　人を傷つけるような人間になっちゃダメだって！」

瑛祐を諭すその口調は、姉・本堂瑛海そのものだった。

「ね、姉さん？」

瑛祐が驚いて、言葉を失う。やはり、水無怜奈は、瑛祐の姉の瑛海だったのだ。

「ええ…だから何も言わずにこの危険な場所から立ち去って！」

厳しい口調で言う瑛海に、瑛祐は「ウ、ウソだ!!」と激しく反論した。

「あんたAB型じゃないか!!　昔、僕に血を分けてくれた姉さんならO型のはずだよ!!　だって僕はO型の人からしか血を受けられない、O型なんだから!!」

「AB型になっちまったんだよ…」

瑛祐がはっとして動きを止める。

口をはさんだのは、扉の陰に隠れていたコナンだった。

「白血病の治療のための、骨髄移植でね！　その移植にお姉さんの骨髄を使ったのは…HLA…つまり、ヒト白血球抗原が一致しやすい兄弟の骨髄を使う場合が多いから…。そして、治療の際に、白血病に冒された瑛祐兄ちゃんのO型の血を放射線を当てて破壊した後、お姉さんのAB型の骨髄を移植したために…瑛祐兄ちゃんはO型からAB型に代わってしまったというわけさ！」

「ぼ、僕がAB型？」

瑛祐が驚いて、コナンの顔をのぞき込む。

「うん！　間違いないと思うよ！　その手術に立ち合った看護師さんに、白血病だったって聞いたし…瑛祐兄ちゃんの胸の真ん中にある傷跡は、骨髄中の腫瘍細胞の状態を調べるために何度も針を刺した跡だろうしね！」

「でも、だったら何で、そうだと僕に教えてくれなかったの？」

瑛祐は動揺して、瑛海に問いただした。

「名前まで変えて何でアナウンサーしてたんだよ!?　ねぇどうして!?」

言葉を探す瑛海に代わって、またもコナンが答えた。

「仕方ないよ…お姉さんの正体は…CIAの諜報員なんだから…」

「し、CIA？」

想像もしていなかった事を言われ、瑛祐はいよいようろたえた。「ハハ…」と乾いた笑いを浮かべ、瑛海とコナンの顔を交互に見比べる。

「何言ってんだよ？　何で姉さんが…」

「お姉さんだけじゃない…お父さんもだよ…」

「え？　父さんも？」

「ああ…ある組織を探るために潜入してたんだ…。そして恐らく奴らの都合でアナウンサーをさせられる羽目になり、TVで自分の姿を見た瑛祐兄ちゃんが会いに来ないように、あえて何も教えずに別人のフリをしてたってトコロかな？」

そう言うと、コナンはベッドの上の瑛海に視線を移して続けた。

「まあ結果は裏目に出て…こうやって会いに来ちゃったけどね…」

「ちょっと待てよ！　わけわかんないよ!!　何なんだよ、ある組織って!?」

「おっと…君が知っていいのは…そこまでだ…」

コナンに食ってかかろうとした瑛祐を、赤井の声が制止した。瑛祐が「え？」と驚いて振り返ると、赤井はいつの間にか病室の入り口に立っている。隣にはキャメルの姿もあった。

「キャメル、頼む！」

赤井に言われ、キャメルは「はい！」とうなずくと、キョトンとする瑛祐の肩を押した。

「ちょ、ちょっと、まだ話が…」

と、瑛祐は抵抗するが、キャメルは聞く耳を持たない。無理やり病室から連れ出しながら、
ふと赤井の方を振り返り、

「あ、そういえば作戦会議が始まるようですが…」

と言った。ジョディとジェイムズが指揮を執る、ＦＢＩの作戦会議の事だ。

「じゃあ、その子を空いた部屋に閉じ込めて先に行け！　こっちの話がつけばすぐ向かう！

後はさっき電話で指示した通りに動け！」

「了解！」

キャメルと瑛祐が出ていくと、赤井は「さてと…」とベッドの上の瑛海に顔を向けた。

「私の事はご存じかな？」

「知ってるわ…。赤井秀一…組織が最も恐れているＦＢＩの捜査官…」

「なら話は早い…さっそく本題に入らせてもらおうか…」

「その前に…教えてくれる？」

瑛海は、コナンと赤井、二人に向かって聞いた。

「どうしてわかったの？　私がＣＩＡだって…」

コナンと水無は、以前とある事件で居合わせた事がある。その時水無は、脈拍や呼吸の乱れや瞳孔の開き具合でコナンが嘘をついているか判断しようとしたが、それはＣＩＡがよく使う手法だった。また、コナンは、水無がジンに向かって「私達の功績は日の目を見る事はないけど…失敗はすぐに知れ渡ってしまうんだから…」というＣＩＡの常套文句をつぶやくのを聞いた事がある。

水無怜奈＝本堂瑛海が、組織に潜入中のＣＩＡだと気づくのは、コナンにとって難しい事ではなかった。しかし彼女の父の事は、どうしてわかったのだろうか。

瑛海の父もＣＩＡだと裏づけたのは、赤井だった。

「本名が本堂だとわかっていたから、調べるのは造作もなかったよ…このボウヤからカンパニーの一員かもしれないという情報を得ていたしな…」

赤井の答えを聞き、瑛海はふいに悲しげに視線を落とした。

「でも、これは知らないでしょうね…。まさかその父を…」

言いかけた瑛海を遮って、赤井は「あんたが殺した事か？」とあっさりと言った。

「父の手首を噛み砕き、顎の下から拳銃で頭をブチ抜いて…」

「え？」

「だが、そう見せかけたと言った方が正解だな…あんたの父、イーサン・本堂があんたを守るために…。あんたを尋問するMDをあらかじめ用意していたのもそのため…奴らにあんたがCIAだとバレそうになった場合を想定して…違うか？」

「………」

瑛海は迷うように沈黙したが、すぐに「ええ…」とうなずいた。

「全て父の考えよ…私は組織に溶け込む事に必死で、それ所じゃなかったから…。そんなに組織に長居するつもりはなかったもの…。そう…私の任務は、組織に潜入した父に新しいつなぎ役の諜報員を紹介する事…。前のつなぎ役は殺されて連絡が途絶えていたから…それが済めば、私は事故で死んだと見せかけて組織を抜けるはずだった…」

淡々と言うと、瑛海はわずかに眉をひそめ「なのに……」と続けた。

あの日、瑛海はとある古い倉庫で父であるイーサン・本堂と落ち合った。新しいつなぎ役の諜報員をイーサンに紹介するためだ。

「彼が新しいつなぎ役！　もうすぐここへ来るわ！　知ってるでしょ？　バーニィよ！」

そう言って瑛海はイーサンに写真を見せた。しかしイーサンはそれよりも周囲の状況の方が気になるらしく、じろりとあたりに視線を巡らせながら、

「それより、つけられていないだろうな？」

と、聞いた。

「ええ…TVの収録の最中だったけど…体調が悪いから1時間程、控え室で仮眠を取るって言って出て来たから…。この倉庫、TV局の割りと近くでね…組織の次の取り引き場所であるここへ父さんが下見に来るって聞いたから、こんなチャンス二度とないと思って…」

「服は着替えて来たか？」

「え？　そのままだけど…」

それを聞くなり、イーサンは瑛海の背後に回った。

「動くな！」

厳しい口調で言って、瑛海の着ているジャケットを調べ出す。

「やだな父さん、何も付いてないって！」

組織に潜入してしばらくの間、瑛海は自分の服に盗聴器や発信器が仕掛けられていないか数日おきに確認していた。しかし、何か怪しいものが見つかった事は一度もない。

しかしイーサンは、瑛海のジャケットの襟をめくると、何かをつまみ上げた。

「見ろ！　襟の裏に発信器だ!!」

「え？」

見ると、イーサンの手には小さなカプセルのようなものが握られている。瑛海は驚愕した。

「でも、今までそんなの付けられた事なんて…」

「生物学的に開発された発信器で、24時間後に自然消滅する…奴らが新入りを見張るために付ける鈴だ…」

「じゃあ、私が勝手にTV局を抜け出した事が組織に…」

その時、倉庫の外から、ドルドルドルと変わったエンジン音が聞こえてきた。

(ポルシェのエンジン音…ジンか!!)

イーサンは即座に判断するなり、瑛海の腹にパンチを食らわせた。

瑛海はたまらず、「ぐはっ」と声をあげてその場に倒れ込む。

「と、父さん、何を…?」

「こうするしか助かる術はない…」

そう言うとイーサンは拳銃を取り出して、いきなり発砲した。二発の銃弾が、瑛海の肩と腕をかすめる。

「お前がな!!」

そう続けて、イーサンは自分の手首を思いきり噛み切った。手首からは血が噴き出し、イーサンの口の周りも血で染まる。イーサンは流血した手首を、無理やり瑛海の口の中に突っ込んでくわえさせた。

「いいかよく聞け、筋書きはこうだ!! 不審な行動をしていた俺に目を付けたお前が後をつけ、追い詰めたが、逆に捕まり尋問を受けた! だが俺の手首を噛んで銃を奪い、顎の下から頭を吹っ飛ばした！　顎の下から撃つのは俺の口についた血に不審さを抱かせないためだ!!」

イーサンは、自分の拳銃を瑛海の手に握らせて続けた。

「こういう事もあろうかと、お前を尋問する俺の声の入ったMDを上着の右ポケットに入れてある！　何も喋ってないと言えばそれでいい！」

「ん～～～!?」

手首を口の中に突っ込まれ、瑛海は何もしゃべる事が出来ない。

イーサンは強気に微笑んで、瑛海と視線を合わせた。

「諦めるなよ、瑛海!!　待ち続ければ必ず味方が現れる!!　俺の代わりに、任務を全うしろ!!」

そう言い残し、イーサンは、瑛海に握らせた銃の引き金を自分で引いて、自殺を図ったのだった。

「…そして間もなく、ジンとウォッカがやって来て…父の言った通りに話し、私は殺されずに済んだのよ…。その後やって来たつなぎ役のバーニィは彼らに気づいて、その場で自決してしまったけどね…」

瑛海は、自分に起きた辛い出来事を、あくまで冷静にコナンと赤井に説明した。

「じゃあ、小五郎おじさんにあのピンポンダッシュの事件を依頼したのは、新しいつなぎ役が欲しかったから？」

コナンが聞く。瑛海とコナンが接点を持ったのは、もともと、ピンポンダッシュに悩まされていた水無怜奈が毛利小五郎に調査を依頼したのがきっかけだったのだ。

「いや…あの事件に託けて、名探偵である彼の連絡先を入手した本当の理由は…瑛祐の保護を頼みたかったから…。あの子、何度もTV局に電話してたから、その内、会いに来るんじゃないかと思って…。もちろん、その理由を彼に送るメールに正直に書いてね…」

話が弟の事になって、瑛海は表情をゆるめた。

彼、というのは毛利小五郎の事。小五郎は、水無の事情を知っていたのだ。

「彼がそれを信じて受けてくれるかどうかは、賭だったけど…。でも、それを打ち明けるべき相手は君の方がよかったのかな？　気づいてたんでしょ？　私の意識が戻ってる事…」

「うん！　前にボクが忘れ物したって言ってこの病室に戻った事があったでしょ？　あの時、気づいたんだよ！　部屋を出る前とは首の周りのシーツのシワが…微妙に動いてる事にね！」

　この病院の院長が水無を検査した後、コナンは一度病室を出てからすぐに戻って、フェイントをかけた事があった。

　扉を開けても水無は眠ったままだったが、シーツのシワの微妙な変化に、コナンも赤井も気づいていたのだ。

「ちなみに、瑛祐兄ちゃんがこの病院のどこかに隠れてるって事もわかってたよ！　瑛祐兄ちゃんのクラスメートの中道って兄ちゃんも、たまたまこの病院に入院しててね…。その兄ちゃんに瑛祐兄ちゃんを見かけなかったかって聞いたら、こう言ってたから…」

――さぁ…本堂なんて見てねぇなぁ…。同じサッカー部の会沢栄介なら、入院してすぐに見舞いに来たけどよ！

　コナンが中道の言ったセリフを口にすると、瑛海は怪訝そうに眉をひそめた。

「それだけでどうして隠れてるって…」

「だっておかしいじゃない！　ボクは『えいすけ兄ちゃん』って言っただけなのに、会沢栄介じゃなく本堂瑛祐の事だってわかるのは、知ってて隠してるって事！　だからわかったんだよ！　中道って兄ちゃんが、自分の病室に瑛祐兄ちゃんを匿ってるんじゃないかってね‼」

中道のさりげない一言で、コナンは瑛祐の居場所まで突き止めてしまったらしい。瑛海はすっかり感心しているようだった。

「へぇ——…ホントにすごいのね、君…」

「ああ…FBIが舌を巻くぐらいにな…」

「で？　どうする気？」

瑛海は表情を引き締めて、赤井の方へと視線を向けた。

「組織が私を奪還しに来るんでしょ？」

「ああ…そこで提案だが…」

提案、と聞いて、瑛海の表情が複雑そうになる。

「まさか私に…もう一度組織に戻れなんて言わないわよね？」

赤井は瑛海を見下ろして、かすかに口の端を上げた。

「もちろん…そのまさかだ…」

赤井と瑛海の取引の事を聞いたジェイムズは「なるほど…」と納得した。

「だから、水無怜奈をわざと組織に渡したというわけか…。前のように組織の懐に潜って色々探ってくれと…」

「ええ…FBIの狗ではなく、CIAの諜報員としてですがね…」

「でもこの作戦、元はみんなコナン君が考えたの？」

ジョディに聞かれ、コナンは「ううん！」と否定した。

「赤井さんも同じ事考えてるみたいだったから、話して2人の作戦を合わせただけだよ！まあ赤井さんは、この病院から車で怜奈さんを連れて脱出する時に、キャメル捜査官の口からこの話を彼女に持ちかけるつもりだったみたいだけど…多分、その車の運転手にキャメル捜査官が選ばれて2人きりになるだろうからってね！」

キャメルが、爆弾を処理しにいくジョディに同行したのは、自分の運転技術をアピールするためだったのだ。

ジェイムズは、じとっとした目をキャメルに向けた。

「じゃあ彼女を奪われる寸前に君が殴られたような、あの音も擬装だったのかね？」

「ええ…殴られて気絶した振りをして車を止めろと赤井さんに指示を受けていたので…でも、まさか本当に殴られるとは思っていませんでしたが…」

「そうしてくれと彼女に頼んだんだ…万が一お前が殺されていた場合、お前の首筋に殴られた跡がないと水無怜奈の身が危うくなるからな…」

赤井に平然と恐ろしい事を言われ、キャメルは引き気味に「そ、そうですね…」とうなずいた。

「でもねぇ…それならそうと教えてくれたっていいじゃない!!」

「その通りだよ…彼女を奪われ、我々がどんなにショックを受け、落ち込んだ事か…」

ジョディとジェイムズが口々に文句を言うが、赤井はどこ吹く風で「それが狙いですよ！」と涼しげだ。

「FBIの無線は奴らが傍受していた可能性が高い！　彼女が奪還され、我々が落胆しなければ奴らは納得しないでしょうから…演技ではなくリアルにね…。まぁ、ただ彼女をＣＩＡとして奴らの中に戻したわけじゃない…奴らの情報をＣＩＡ本部に報告した後で、ＦＢＩにも流すという事で話をつけましたから…」

「そ、そんな要求、よく彼女が飲んでくれたな？」

ＣＩＡとＦＢＩは、敵同士というわけではないが、基本的には違う組織だ。命がけで手に入れた情報を、ＣＩＡの諜報員である瑛海がＦＢＩにも提供してくれるというのだから、ただ事ではない。

「ええ…当然、それに釣り合う条件を提示されましたがね…」

水無怜奈――本堂瑛海が赤井に提示した条件とは、弟である瑛祐が証人保護プログラムを受ける事だった。

証人保護プログラムとは、犯罪組織などから命を狙われる危険性のある人間を守るために作られた、アメリカの制度の事。対象者には新しい名前や住所が与えられ、これまでとは別人として政府の保護を受けながら生活をする事になる。

「証人保護プログラム…それをあんたの弟にか…？」

「ええ、実はつなぎの諜報員がなかなか組織に近づけず、うまく本部と連絡が取れてなくて要請できないでいたのよ…。瑛ちゃんには従うように手紙を書いておくから要請を…。それぐらいやってくれるわよね？　私をCIAだと疑う人物がいる組織の中に、わざわざ舞い戻るんだから…」

念押しされ、赤井は「ああ…」とうなずいた。

「弟の事はFBIが保証しよう…」

「それと…いかなる場合でも、父の…CIAの任務を優先させるから…。FBIに不都合な事があっても悪く思わないでね…」

そう言って、瑛海は強い視線を赤井に向けた。

赤井が、「フン…」と楽しげに目を細める。

「私もそう話そうとしていた所だ…。なぁボウヤ…」

コナンは「うん！」と力強くうなずいた。

水無が組織に戻る条件を聞き、ジェイムズは考え込むように腕組みをした。

「証人保護プログラムか…組織のボスのメールアドレスを知ってしまった少年なら、恐らく適用されると思うが…」

「その少年だけじゃなく、この病院の人達の事も心配だわ!!」

ジョディが勢いよく言う。

「組織は多分、FBIに荷担して水無怜奈を匿ったと思ってるでしょうから、なんとかしないと…」

このままでは、FBIに協力してくれた院長をはじめとする病院関係者に大きな迷惑が掛かってしまうかもしれない。焦るジョディに、コナンが「それなら平気だよ!」と明るく声を掛けた。

「多分、今頃、水無怜奈さんが…」

キャメルが仕掛けた事故現場から去りながら、水無は車内で、病院の人間に手出しをしないようジンに要求していた。

「なに？　あの病院に手を出すな⁉　FBIに手を貸した連中をほっとけっていうのか？」

運転席で聞いていたウォッカは驚いて、後部座席に座る水無の方を思わず振り返った。

「いや…手を貸していたわけじゃなかったようよ…FBIは私を赤井秀一の妹と偽って入院させてたみたいだし…」

「けどあんた、顔の売れたアナウンサーじゃねぇか！」

ウォッカが勢いよく反論するが、水無は動じない。

「よく似てると言われる、とでも言ってたんじゃない？　もし本人なら、マスコミが騒いで事件になっているでしょうしね…。もちろん、FBIが色々手を回して私の行方不明をごまかしていたんでしょうけど…」

「どうした、キール…」

助手席に座ったジンが、探るように水無の方を見やる。

「なぜあの病院にこだわる？　何かあるのか？」

「別に…。私はただ、まがりなりにも私を手当てしてくれた人達を殺すのは、あまりいい気がしないだけ…。それに、本当にあの病院がＦＢＩに協力していたなら、組織が私を奪還しに来るとわかった時点で、何らかの対策を取っていたはずだと思うけど…」

水無がポーカーフェイスで答えると、ジンは視線を正面に戻した。

「フン…今はお前を立てて、手は出さねぇでおこう…」

意味深なジンの口ぶりに、ウォッカが「今は…ですかい？」と戸惑う。

「気に食わねぇんだよ…。あの赤井が、こうも易々とキールを奪い返される策を立てていたとは…。何かまだ裏があるんじゃねぇかとな…」

ジンは疑り深く、まだまだ赤井に対する警戒をゆるめてはいないようだ。無理もない。赤井は、組織が「銀の銃弾」と呼び唯一恐れる男なのだから。

「そういえば赤井…殺り損ねちまいやしたねぇ…」

「ああ…奴ならキールを奪い返す際に必ずからんで来ると踏んでいたんだが…」

「所詮、それだけの男だったって事じゃないんですかい？」
ウォッカが楽観的に言うが、ジンは厳しい表情のまま、じっと前を見つめている。
比類のない推理力と、常人離れした身体能力、高度な運転技術を併せ持つ凄腕の狙撃手
――赤井秀一と黒ずくめの組織との因縁は、どうやら相当根深いものであるようだ。

The proof of justice is still on the way. 

## 〈大人気！「名探偵コナン」シリーズ〉

名探偵コナン　瞳の中の暗殺者
名探偵コナン　天国へのカウントダウン
名探偵コナン　迷宮の十字路
名探偵コナン　銀翼の奇術師
名探偵コナン　水平線上の陰謀
名探偵コナン　探偵たちの鎮魂歌
名探偵コナン　紺碧の棺
名探偵コナン　戦慄の楽譜
名探偵コナン　漆黒の追跡者
名探偵コナン　天空の難破船
名探偵コナン　沈黙の15分
名探偵コナン　11人目のストライカー
名探偵コナン　絶海の探偵
名探偵コナン　異次元の狙撃手
名探偵コナン　業火の向日葵
名探偵コナン　純黒の悪夢
名探偵コナン　から紅の恋歌
名探偵コナン　ゼロの執行人

名探偵コナン　紺青の拳

ルパン三世VS名探偵コナン　THE MOVIE
名探偵コナン　江戸川コナン失踪事件 史上最悪の二日間
名探偵コナン　コナンと海老蔵 歌舞伎十八番ミステリー
名探偵コナン　エピソード"ONE" 小さくなった名探偵
名探偵コナン　紅の修学旅行
名探偵コナン　大怪獣ゴメラVS仮面ヤイバー

小説 名探偵コナン　CASE1～4
名探偵コナン　安室透セレクション ゼロの推理劇
名探偵コナン　怪盗キッドセレクション 月下の予告状
名探偵コナン　京極真セレクション 蹴撃の事件録
名探偵コナン　赤井秀一セレクション 赤と黒の攻防

名探偵コナン　赤井一家セレクション 緋色の推理記録

まじっく快斗1412　全6巻

世界の中心で、愛をさけぶ
月の王子　砂漠の少年
天才発明家ニコ&キャット
天才発明家ニコ&キャット　キャット、月に立つ！
TOKYOオリンピック　はじめて物語
謎解きはディナーのあとで
謎解きはディナーのあとで2
謎解きはディナーのあとで3
のぞみ、出発進行!!
パティシエ志望だったのに、シンデレラのいじわるな姉に生まれ変わってしまいました！

大熊猫ベーカリー　パンダと私の内気なクリームパン！
ホルンペッター
ぼくたちと駐在さんの700日戦争　ベスト版　闘争の巻
さくら×ドロップ　レシピ1：チーズハンバーグ
ちえり×ドロップ　レシピ1：マカロニグラタン
みさと×ドロップ　レシピ1：チェリーパイ

メデタシエンド。　全2巻
ゆめ☆かわ　ここあのコスメボックス
ゆめ☆かわ　ここあのコスメボックス　ヒミツの恋とナイショのモデル
ゆめ☆かわ　ここあのコスメボックス　恋のライバルとファッションショー
ゆめ☆かわ　ここあのコスメボックス　恋する遊園地で大ピンチ！
ゆめ☆かわ　ここあのコスメボックス　ストアイベントで恋の勝負!?
ゆめ☆かわ　ここあのコスメボックス　きらめきのパリで恋のキセキ
夢は牛のお医者さん
わたしのこと、好きになってください。

〈思わずうるうる…感動ストーリー〉
奇跡のパンダファミリー　～愛と涙の子育て物語～
きみの声を聞かせて　猫たちのものがたり―まぐ・ミクロ・まる―
こむぎといつまでも　―余命宣告を乗り越えた奇跡の猫ものがたり―
天国の犬ものがたり～ずっと一緒～
天国の犬ものがたり～わすれないで～
天国の犬ものがたり～未来～
天国の犬ものがたり～夢のバトン～
天国の犬ものがたり～ありがとう～
天国の犬ものがたり～天使の名前～
天国の犬ものがたり～僕の魔法～
天国の犬ものがたり～笑顔をあげに～
天国の犬ものがたり～はじめまして～
天国の犬ものがたり～扉のむこう～
天国の犬ものがたり～幸せになるために～

動物たちのお医者さん
わさびちゃんとひまわりの季節

Shogakukan Junior Bunko 

★小学館ジュニア文庫★

# 名探偵コナン

## 赤井秀一セレクション　赤と黒の攻防（クラッシュ）

2020年 4 月 1 日　初版第 1 刷発行
2020年 5 月20日　　　第 2 刷発行

著者／酒井 匙
原作・イラスト／青山剛昌

発行人／野村敦司
編集人／今村愛子
編集／油井 悠

発行所／株式会社　小学館
〒101-8001　東京都千代田区一ツ橋２－３－１
電話／編集　03-3230-5105
販売　03-5281-3555

印刷・製本／中央精版印刷株式会社

デザイン／石沢将人＋ベイブリッジ・スタジオ


Printed in Japan　ISBN 978-4-09-231326-2